大语言模型的"语言"跟自然语言性质迥然不同

陆俭明

（北京大学　中国语言学研究中心/中文系）

大语言模型的诞生"在人类历史上称得上史无前例的技术成就"（孙茂松），因为这使机器真正能跟人自由对话了。先前的自然语言处理——具体到汉语就是中文信息处理，其目的就是要让机器能理解我们人所说的话语，反过来又能生成让我们人能接受的话语，以实现"人机对话"。为达到此目的，上世纪 70 年代解决了"字处理"问题；80 年代进一步解决了"词处理"问题，包括分词和词性标注；90 年代逐步解决了"句处理"问题，包括句子的句法分析和语义分析。处理方法逐步由基于规则进而采取基于规则和统计相结合的手段。进入 21 世纪，进一步尝试研制并使用浅层神经网络模型，同时开始使用多层感知机（MLP）、卷积神经网络（CNN）和循环神经网络（RNN）等"数据驱动"来实施自然语言处理，实际上已综合使用词汇分析技术、语法分析技术、语义理解技术、上下文关联分析技术和深度学习算法，以提升中文信息处理的准确度。然而效果还不是十分理想。应该承认，大语言模型无疑大大超越了自然语言处理已有的成果。

面对这样的情况，有的语言学者开始哀叹自己的研究；而一部分学者，如辛顿这样的诺贝尔物理学奖获得者，竟对语言学加以蔑视，甚至大骂乔姆斯基。然而我们必须清醒地认识到，大语言模型的"语言"，跟自然语言有着本质的不同。

人赖以交际的语言是"自然语言"。自然语言的特点是跟人脑心智相连的，是与人的认知相连的。因此自然语言的能力，亦即人说话的能力，"来自人脑的学习能力""来自人脑的语言知识"（詹卫东）。自然语言知识的底层是通过"范畴＋规则"来处理的。要知道，人类任何一种自然语言都是一个音义结合且具有适用性的符号系统，这个符号系统随着社会的发展而不断发展变化。在这个音义结合的符号系统里，必然存在大小不等的音义结合的符号。自然语言的语法就是根据交际的需要由小的音义结合体构成大的音义结合体所遵循的一整套规则；具体说就是由语素构成词、由词构成短语、由短语构成句子、由句子构成段落篇章所遵循的一整套规则。语言工作者为了搞清楚这整套规则，就不断地在各个层面上设立各种各样的范畴，而每一层面的规则体现了不同范畴之间的联系。

由于自然语言跟人脑心智相关联，因此能不断产出具有原创性的新的语言表达式。语言跟客观世界并不直接联系，都得经由认知域。人通过感觉器官感知客观世界并形成直感形象或直觉；在认知域内进一步抽象，由直感形象或直觉形成意象图式；在认知域内借助内在语言进一步由意象图式形成具体的概念框架。具体的概念框架投射到外在语言，寻找最能表示该概念框架的具体的表达式——可能已有的表达式能用来表达；也可能跟已有的表达式发生碰撞，产生新的表达式，并呈现为具体的句子。这种新的表达式广为使用，所蕴含的新的语法规则就由此而产生。

可是，大语言模型的语言是"人造语言"，大语言模型只能从已有的人类文本中获取"知识"。它不可能产生出原创性的新的表达式，因为它的所谓"语言数据"与语言外部的客观世界不发生任何联系。因此，大语言模型只是处理自然语言本身的数据，并不能处理丰富多彩的语言外的信息。

总之，必须清醒认识到，大语言模型跟人类的自然语言，其性质是迥然不同的。

语言战略研究　第 10 卷 2025 年第 1 期　总第 55 期（双月刊）

学术指导　国家语言文字工作委员会
学术支持　中国语言学会语言政策与规划专业委员会

主　　编　李宇明
执行主编　郭　熙
副 主 编　罗　骥　王春辉　张天伟

封面题字　苏士澍

编 委 会

主　任　周洪波　商务印书馆
委　员　（以姓氏拼音或字母为序）

陈　平　澳大利亚昆士兰大学
戴曼纯　北京外国语大学
董　洁　清华大学
郭　熙　暨南大学
侯　敏　中国传媒大学
李　嵬　英国伦敦大学学院
李宇明　北京语言大学
刘海涛　复旦大学
刘培俊　教育部语言文字信息管理司
卢德平　北京语言大学
屈哨兵　广州大学
沈　骑　同济大学
田立新　教育部教材局
汪　磊　广东外语外贸大学
王　辉　浙江师范大学
王建勤　北京语言大学
文秋芳　北京外国语大学
徐大明　南京大学
余桂林　商务印书馆

袁毓林　澳门大学 / 北京大学
张日培　上海教育科学研究院
张晓兰　英国巴斯大学
赵蓉晖　上海外国语大学
赵世举　武汉大学
赵守辉　挪威卑尔根大学
周明朗　美国马里兰大学
周庆生　中国社会科学院
Michael Byram　英国杜伦大学
Florian Coulmas　德国杜伊斯堡-埃森大学
John Edwards　加拿大圣沙维尔大学
Ofelia García　美国纽约城市大学
Nancy Hornberger　美国宾夕法尼亚大学
Helen Kelly-Holmes　爱尔兰利默里克大学
Joseph Lo Bianco　澳大利亚墨尔本大学
Robert Phillipson　丹麦哥本哈根商学院
Thomas Ricento　加拿大卡尔加里大学
Elana Shohamy　以色列特拉维夫大学
James Tollefson　美国华盛顿大学

编辑部主任　王　飙
执行编辑　魏晓明

编　辑　韩　畅　逯琳琳
责任校对　于立滨

主　管　中国出版传媒股份有限公司
主　办　商务印书馆有限公司
出　版　商务印书馆有限公司
编　辑　《语言战略研究》编辑部
　　　　（北京市东城区王府井大街 36 号
　　　　邮编：100710）
电　话　86-10-65219060　65219062
电子邮箱　yyzlyj@cp.com.cn
印　刷　北京新华印刷有限公司
订　购　全国各地邮局
总发行　中国邮政集团有限公司北京市报刊发行局
定　价　42.00 元

Directed by　The National Language Committee of China
Supported by　China Association for Language Policy and Planning
Administered by　China Publishing and Media Holdings Co., Ltd.
Sponsored by　The Commercial Press, Ltd.
Published by　The Commercial Press, Ltd.
Editor-in-Chief　Li Yuming
Executive Editor-in-Chief　Guo Xi
Edited by　Editorial Board of *Chinese Journal of Language Policy and Planning* (36, Wangfujing St., Beijing 100710, China)
Tel　86-10-65219060/65219062
Printed by　Beijing Xinhua Printing Co., Ltd.

刊　号　ISSN 2096-1014　CN 10-1361/H
邮发代号　82-104
广告许可证　京东工商广字第 8027 号 (2-1)
投稿平台　http://yyzlyj.cp.com.cn
出版日期　2025 年 1 月 10 日

目 录

期刊基本参数：CN10-1361/H*2016*b*16*96*zh*P*42.00*2000*09*2025-01

Chinese Journal of Language Policy and Planning
(Bimonthly)
Vol. 10 No. 1, Jan. 2025

CONTENTS

网文是语言生活研究的一个新课题

陈　平（澳大利亚昆士兰大学语言与文化学院）　传统语言研究大多专注丁语言本体。1960 年代开始，社会语言学渐渐成为国际主流语言研究的一部分。1980 年代之后，社会语言学在中国兴起，许多大学开设了社会语言学课程，学术期刊也经常刊发高质量的社会语言运用调查报告。2000 年之后，以中国语言运用为主要研究对象、注重语言研究的社会效用的语言生活研究，驶入发展的快车道，与本体研究齐头并进，成为中国语言学研究的一个重要方面。与此前的相关研究相比，语言生活研究覆盖的范围更为广泛，理论建设的意识更为自觉，最难能可贵的是具有强烈的服务社会的意识，许多研究成果取得显著的社会效果。

2005 年《中国语言生活状况报告》（绿皮书）出版，标志着中国语言生活研究进入一个全新阶段。20 年来，从当年的绿皮书起步，发展到现在九大系列的皮书方阵，中国语言应用研究的范围从语言到文字，从全国到主要城市和地区，从国内到国外，覆盖面之广，调查研究之细，开创了前所未见的新局面，在国际上也很少能看到如此规模的语言生活调查研究。

语言生活研究将语言在社会生活各方面的应用纳入学术研究范围，增强了学术界对有关语言现象的重视，促成了更多优秀研究成果的问世。徐赳赳教授近著《语言学视野下的新媒体话语研究》（中国社会科学出版社 2024）对网文的研究，就是一个值得关注的例子。

随着社会经济快速发展、科学技术迅猛进步，各种语言处理工具，尤其是智能手机，早已成为当代社会生活密不可分的一部分，这给中国的语言研究带来许多新的课题。与数十年前相比，当代语言生活中口语使用频率更高，使用书写语言也出现了许多新现象，主要体现在所谓的"网文"上。

网文指的是以手机短信、微信、微博等代表的新型书面语言，历史不长，21 世纪开始以后才进入研究视野。网文具有独特的属性。它们大都是作者即兴而为，从这点上看类似日常口语，与书报信函日记等的文体和使用环境显著不同。另一方面，网文基本上用汉字写就，通过文字而不是语音形式在网络上传播，这又使它有别于日常口语，可以认为是与我们以前熟悉的书面语和口语不同的第三种文体。

网文在语言上的特点主要表现在词语方面：新词新语多，同音替代普遍，数字字母文字混用现象频繁出现。网文有其鲜活形象的一面，有时能比传统词语更迅速贴切地反映当今社会现实生活。另一方面，从语言规范的角度出发，如果以严格的语言文字使用规范为标准衡量，网文违规现象时时可见。网文创新者和使用者大多数是青少年，一些不那么规范的词语难免也会出现在他们的正式写作中。网文的这些特点，也不可避免地进入社会语言生活的其他方面。我们看到有些大学校长和老师向学生致辞时，也会频频使用网文惯用词语，拉近与青年学生的距离。当代传媒从业者也常常从网文中汲取新鲜成分，广告招贴布告等中源自网文的词语随处可见。与网文相关的种种现象给语言文字规范工作带来新的研究课题。如何在语言文字规范和不那么中规中矩的网文创新之间把握适当的平衡关系，是我们时时面对的问题。同时，网文创新也有鄙俗和雅致、精妙和粗陋之分，语言专家的适当引导，对提高青少年以及整个社会的语言文字运用水平，是有很大益处的。

当下，中国网民数目早已超过十亿，手机基本上是人手一部，手机、网络已经成为当今社会日常生活不可或缺的部分。网文作为信息时代新媒体的特有文体，应用频率越来越高，应用范围越来越广，这将给包括教育、传播、法律、语言规划乃至自然语言处理等一切与语言应用有关的领域带来许多值得重视的问题，这些也正是语言生活研究应该系统关注的课题。

语言生活问题的捕捉、发掘与提炼

周庆生（江苏师范大学语言科学与艺术学院，中国社会科学院民族学与人类学研究所）　作为《中国语言生活状况报告》（绿皮书）战线上的一个老兵，年年参与绿皮书的编审工作，不知不觉已经过了 20 年。《语言战略研究》推出"中国语言生活研究 20 年"多人谈专栏，约我谈点想法。思来想去，还是跟皮书战线上的新朋友聊聊绿皮书撰稿的"问题驱动"这个老生常谈的话题吧。

语言生活就像空气和水，是人类社会生活的重要组成部分。语言生活总是随着社会的发展而发展，总会不断形成新的语言特点、语言热点和语言焦点。如何捕捉每个年度内的语言生活特点？如何发掘年度内的语言生活问题？经过 20 年的实践探索，绿皮书团队已经摸索出一套行之有效的发现程序，这就是：真语言生活现象→语言生活问题→语言生活理念。

绿皮书各篇报告的选题，首先要反映本年度的真语言生活现象。有些新手只反映生活现象不反映语言现象，有些新手只反映语言现象不反映生活现象，这都不是真语言生活现象。真语言生活现象必须包括语言和生活两个方面，二者缺一不可。在捕捉到真语言生活现象之后，还需要进一步发掘真语言生活现象折射出来的语言生活问题。有些新手只罗列语言生活材料，不挖掘语言生活材料蕴含的问题，结果是材料像流水账，苍白无力。

问题导向是绿皮书团队的一项工作原则，也是理论创新的起点。只有发掘分析语言生活中的重大紧迫问题，才能找到客观发展规律，才能解决现实问题，同时还可以进一步推动语言生活理论创新。

2008 年的四川汶川大地震，近 7 万人遇难，举国救援，涌现出无数可歌可泣的感人事迹。绿皮书团队很想写一篇相关报告，但是，找不到一个能将语言和地震灾害相连接的材料和话题，所以有关语言与地震灾害的选题没有出现在绿皮书中。

2010 年的青海玉树大地震，两三千人遇难，再次震撼全国。从相关新闻报道中，我们捕捉到有关语言与地震灾害的蛛丝马迹真材料，然后顺藤摸瓜，发现在抗震救援过程中，当地藏民与抗震救援人员之间，语言障碍问题严重，因缺少翻译，搜救人员无法及时获得准确信息。一些重伤员转到大城市，大城市医院的医生大多不懂藏语，医生只能根据经验救治，影响了救援效率和治疗速度，甚至危及伤者的性命，阻碍救援工作的进行。据此，我们将语言生活报告的选题定为《青海玉树救灾中的语言障碍与语言救援》，及时给团队的两位成员布置了写作任务，后经多次修改、补充、完善，在 2011 年的绿皮书中刊出。

这篇报告的审定和刊发，始终受到教育部语信司领导的高度关注，领导多次在相关会议上强调"地震灾害语言障碍和语言救援"的重要性。后来，"语言障碍与语言救援"理念经相关部门的进一步提炼，从低位理念上升为高位理念，写入 2016 年国家语委发布的《国家语言文字事业"十三五"发展规划》中，表述为"语言应急和语言援助服务"。

20 年来，绿皮书团队在语信司历任司长的领导下，用学界和社会熟悉的话语，讲述中国本土鲜活的故事，每年都要刻意从当年度鲜活的现实生活中，提炼出一些标识性理念。具体的方法就是坚持问题导向，捕捉问题、发掘问题、研究问题、解决问题，通过绿皮书这一平台，提炼为接地气的、能为国内国际社会所理解和接受的新理念、新范畴、新表述，引领国内甚至国际学术界展开研究和讨论。

中国"语言生活派"的返本开新

赵世举（武汉大学文学院/中国语情与社会发展研究中心）　人类对语言的研究，已有数千年历史。为什么要研究语言？其初衷就是要解决跟语言相关的各种问题。包括中国在内的世界语言学几大发祥地，基本上都是出于典籍诠释、哲学思辨、语言教育、政治诉求等客观需要而开始研究语言的。可以说，"语言为用而生，语言学为用而兴"。从总体上看，数千年来，服务为本、经世致用一直是世界语言学的主流传统。

然而，自形式主义语言学兴起，许多人便致力于剥离语言内容、使用和社会应用的语言形式研究，有的甚至在假想的"语言真空"中研究语言，客观上导致研究脱离实际，渐忘初心。不过令人欣慰的是，中国虽然也受形式主义影响，但自清末以来仍有许多学者坚守语言研究初心和全面语言观，致力于服务社会发展和大众需求的语言研究，取得了巨大成就，为中国经济社会建设做出了卓越贡献。

本世纪以来，社会发展日新月异。中国一批语言学者与时俱进，绍复初心，相时而动，走出书斋，走进现实生活，聚焦国计民生攸关的语言需求和语言问题，开拓新领域，建构新理论，探索新对策，着力服务国家发展和大众生活，逐步形成了学界所称的"语言生活派"——"根植于中国语言生活沃土，以解决中国语言生活问题为己任，也密切关注世界语言生活的学者群体"（李宇明《语言生活与语言生活研究》）。正如《家国情怀——语言生活派这十年》卷首语所概括：他们从语言生活中观察、描述语言和语言生活，给历史留下了珍贵的记录；提出了一批新概念，为建设中国语言生活研究的理论体系打下了基础；展现了一系列新的语言观、研究理念和研究视角；丰富了中国社会语言学、应用语言学乃至语言学的理论和方法；发表了一批有针对性的调查和咨政报告；打造了一支有共同理想信念的研究团队。

"语言生活派"有许多学术创见。以"语言与国家"的关系研究为例。近代以来，在民族主义思潮和构建"现代国家"诉求的影响下，国外学者大多从政治视角，聚焦于语言对国家构建和国家管理的作用展开研究；后来也有人开始研究语言与经济发展的关系，但对其他相关议题则少有涉及。在中国，晚清以降，在国家面临内忧外患和社会转型的背景下，仁人志士在探寻民族救亡图存之路时，主要从政治和文化视角论及语言文字与国家兴衰的关系，推动了文字改革和国语运动的兴起。新中国成立后，也主要聚焦于政治和文化视角。21世纪以来，"语言生活派"深化和拓展了语言与国家的关系研究，颇有建树。其一，系统创建了语言与国家的关系分析框架。突破了过去仅关注语言在国家建构和管理中的作用的局限，全面考察和揭示语言在国家地位、国家安全、社会治理、文化建设、经济发展、科技创新等方面的角色和作用，拓展了研究领域，丰富了相关理论。其二，针对国家发展中的重大语言议题和难题，提出了新理念，创新和丰富了相关重要概念。例如，针对语言关系难题，提出了"语言和谐"论，突破了西方偏执于"语言权利""语言地位"争执的困局，有利于化解语言矛盾；突破了美国学者基于外语需求的"国家语言能力"观，构建了统筹内外语言、整合全要素的国家语言能力论；"语言服务"论的形成，凝练和明确了语言文字事业的根本宗旨；"语言生活"概念的内涵理析和话语创新，则开阔了语言学的视野和沃土。其三，在实践层面，从世界发展大势和国家战略高度出发，深入研究国家发展和安全中的重大语言问题，不断提出和更新提升国家语言能力的方略和举措，不少真知灼见转化为国家政策和大众共识，发挥了积极作用。这些具有中国特色的语言研究成就，无疑都是中国"语言生活派"对世界语言学发展的新贡献。

规范与认同：从语言定义审视 LPP 的学科属性

赵守辉（挪威卑尔根大学人文学院）　中国一个世纪波澜壮阔的语文现代化运动为全世界 LPP（Language Policy and Planning，语言政策与规划）同仁贡献了无比丰富实践经验，同时，也形成了迥异于他者的学术传统和研究特色。任何 LPP 的理论与实践所面对的核心问题皆源于对语言本质的认识，这里我们试通过对语言定义所反映的语言对立功能的解析，为理解中外 LPP 研究取向的不同提供一个观察视角。

语言是人类交际的沟通工具。这一定义隐含着现实世界交际复杂性（人类交际）与理念王国对技术完美性追求（沟通工具）的对立：一方面，语言需要规范与标准，以提高其作为工具在技术层面的有效性，规范化越强，效率越高；另一方面，实践领域的人际交际属性则赋予语言以身份认同，由此产生语言在社会应用中的工具理性（技术乐观主义）与价值理性（人文主义）的矛盾与张力。这两种理性恰恰对应着语言的两大功能——交际与象征；亦即交际工具与认同象征的对立与冲突，对应于豪根创立的 LPP 基本框架中四大面向里最主要的两大块——本体规划与地位规划。

本体规划围绕着标准的建构与确立，意味着对其他语言或语言变体的否定和扬弃。狭义的语言规范限于共同语下变体间的取舍，广义的语言规范还涉及社区语与地区语的推广与传播。前者催生共通语（lingua franca），后者走向全球语，其结果导致对该语言或变体使用者的身份认同贬低，在物质层面则体现为其经济利益的受损。可以说，LPP 这门学科核心内容的形成和发展的过程，就是围绕着规范与认同这两大相互对立的主题而纠结与争斗的。

正如经济学研究中对商品价值与价格的探讨，理解语言应用与管理的底层逻辑要求我们对其最基本细胞进行剖析与思考。这里有必要将我们平时所说的语言标准这个 LPP 最小单位分解为规范 A 和规范 B 两种不同的规划活动，即约瑟夫提出的自发规范和专家规范。前者指依靠个体理解与领悟在交际实践中形成的自然规范，其目的是完成最初级的沟通，本体形式以口语为主，传播方式依靠自下而上的约定俗成，传播对象无明确范围；而后者由领域权威制定并以显性文本加以规定，其目的是提高交际的质量及效率，本体形式是口语书面语并重，传播方式依靠官方自上而下的强力推行，传播对象具有明确的边界。

规范 A 是一种模糊的软性弱规范，也可称为自生规范，与哲学上的进化理性及哈耶克的自发秩序一脉相承；后者作为显性的强规范与建构理性相对应。语言使用者所遵循的规范因社会语境和沟通目的的不同，位于以规范 A 和规范 B 为两极的连续统上的任意一点。LPP 的内容实际上规划的是规范 B。规范 A 赋予语言使用者以文化、政治、地域及阶层认同，关联的是语言定义中的人际交际属性；另一方面，语言的技术属性要求语言科学、经济、高效，亦即标准化程度的不断提高，这是规划者权力能动性的表现。前者追求多元主义下的放任自流，导致低效率；后者诉诸干预主义，导致冲突。规范、效率、认同，永远无法同时得到满足。遵循三元不可能悖论，这便是 LPP 底层驱动力。

国际 LPP 学界的研究重心在经历 20 世纪 80 年代中期的后现代转向后，也由基于社会科学的能动性事业转化为具有强烈批判性和反思精神的独立学科。换言之，是偏重语言的交际工具（规范）功能还是身份象征（认同）功能，在这对两难之道所构成的永恒张力中，海外后现代社会学者研究中心向后者的偏移，赋予了LPP研究以浓郁的人文学科属性。而作为最大的发展中国家，中国学者的研究侧重语言规范在国家现代化和社会和谐中的实践功能，突出LPP研究成果的社会科学取向。

语言规划须因时而变和因地制宜

刘海涛（复旦大学外文学院）　在《中国语言生活状况报告（2005）》中，有一篇我写的《欧洲联盟语言状况及语言政策》。为什么在有关中国语言生活的报告中要提及国外的事呢？这是因为语言规划作为一门学科诞生于1950年代的西方国家，也因为人类有意识改变语言功能的活动几乎与人类的历史一样悠久。因此，了解国外的有关情况，可能有助于制定符合规律和更有效的语言政策。20年间，随着大量国外语言规划著作的引入以及众多语言规划论著的出版，语言规划在国内已然成为一门显学。但人们也发现，国外学者，特别是发达国家学者的研究兴趣与国内学者有着很大的不同；他们的许多理论与方法，也很难解决中国的问题。为什么会这样呢？

欧盟的语言实践表明，尽管花费了大量人力物力，他们力求的语言平等的理想，仍然逃不脱"有些语言更平等"的窘境。这是因为尽管语言的主要功能是交流，但它也有文化的容器、身份的象征等功能。这些功能的重要性会随社会发展而变，而且相互之间可能还会有冲突。为使语言起到助推社会发展的作用，语言规划也须因时而变。

语言作为一种人驱复杂适应系统，其运作的动力来自于人。人类有了语言，才会有深度的交流；有了交流，才会有合作，才有可能形成各种共同体。交流和合作也是现代化的前提之一。因为交流需要共同的语言，所以在语言规划作为一种学科出现之前，那些率先工业化的国家，以时间为代价，已经形成了一些广域共同语，以解决城市化和现代化带来的语言交流问题。这种没有人有意识参与的语言演化方式也带来了一定的问题，比如方言与小语言的大量消失。尽管这种消失可能是城市化难以避免的副作用，但如果对这一过程中的语言演化规律有足够的认识，充分发挥语言规划面向未来的特质，是有可能缓（消）解这种副作用的。

发达国家学者无法让时光倒流，也就无法发挥人的主观能动性未雨绸缪地去消解以上提及的副作用，只能去关注那些工业化带来的涉及语言其他功能的软问题。恰好这些问题又非常适合用后现代的方法来探究，于是发达国家的语言规划和政策研究就成了一个不怎么关注语言主要功能（交流）的学科。这方面的例子可追溯到豪根1959年的《在现代挪威规划一种标准语言》，这篇文章说的是挪威"二选一"的语言规划问题。这两种书面挪威语可以互通。换言之，挪威的"二选一"不是为了解决交流问题，而是出于交流之外的考量。实事求是地讲，这种非本质语言问题解决与否，都不会影响人们的语言生活，所以，豪根文中提出的问题直到今天仍没有解决。

然而，世界不是单一的，人类社会的发展也不是同步的。在发展中国家，特别是多语多方言国家，语言交流问题依然存在。这些国家需要通过语言规划来解决共同语的形成和推广等问题，从而使语言更好地助力国家的现代化建设。在这种情况下，发达国家以解构为主的后现代语言规划理论，显然解决不了发展中国家现代化进程中遇到的语言问题。这说明，语言规划不仅应顺势而为、因时而变，也须因地制宜地考虑历史、地理、文化、国情、民族等因素。中国"语言生活派"在过去20年中，根据中国社会发展的实际情况，沿袭2000多年前从"书同文"开始的语言规划注重交流的优良传统，提出了不少解决中国现代化进程中语言问题的思想和方法。这些方法不仅可供其他发展中国家参考借鉴，也有助于形成更具普遍意义的面向城市化和现代化进程的语言规划和语言政策理论，值得从多种角度进行总结与研究。

语言生活是一个包含语言规划的整体性概念

方小兵（南京大学中国语言战略研究中心）　关于语言生活概念，李宇明教授的经典定义是"运用、学习和研究语言文字、语言知识和语言技术的各种活动"。该定义不包括语言规划的"各种活动"。这或许源于一种逻辑上的谨慎，即为了避免将"对语言生活的规划"视为语言生活的一部分，从而混淆主体与客体的关系。

然而，主客二分的视角显然是人为且主观的。事实上，许多概念本身就兼具主体性和客体性，例如文化传播和宗教信仰。语言规划并非外在于语言生活的独立存在，而是深深根植于语言生活之中，与之形成一种相辅相成的关系。语言规划的内生性、融入性和互动性，决定了它不仅是对语言生活的一种主动干预，也是语言生活的内在成分之一。语言规划的出发点和落脚点都指向语言生活，其内容反映了语言生活的需求，而其结果又会成为新的语言现实，进一步塑造和丰富语言生活本身。

语言规划不是独立于语言生活之外的行为，而是在语言生活的进程中产生、发展并发挥作用。语言生活中的各类主体，如政府、教育机构、社会组织和个人等，都参与到语言规划中来。语言生活的变化会影响语言规划的方向和内容，语言规划只是语言生活的一种特殊表现形式。

在语言规划实施过程中，规划活动与日常语言实践相互作用，成为语言生活的内在成分。语言规划不是一次性的孤立活动，而是与语言生活中其他活动相互交织的持续过程。例如，一项新的语言教育政策会涉及师资培训、教材编写、教学评估等环节，影响教育机构、教师、学生和家长的语言生活，其间各方主体会不断反馈意见，从而促使语言规划进行调整。这种行为的连续性和交互性说明，语言规划本身就是语言生活的有机组成。

将语言规划纳入语言生活的概念范畴，可以彰显语言生活概念的基础性和整体性。与基于西方学术传统而形成的碎片化、批判性的概念和理论相比，包含语言规划在内的语言生活观更能体现"知行合一"的中国文化传统，即不是把语言规划研究仅仅当作一项脱离社会生活实际的学术活动，而是希望通过研究更有效地解决语言生活各层面的实际问题，如信息无障碍和应急语言服务，体现生活关切和人文关怀，也更能反映时代变化。

语言规划理论的体系化是构建自主知识体系的必由之路。目前存在的问题是学术思想碎片化，缺乏完整性和系统性，难以形成统一的学术框架。将语言生活视作一个包含语言规划的整体性概念，可以避免语言生活内部和外部的脱节现象，即部分在语言生活之内（如语言产业、语言和谐、语言文明），部分在语言生活之外（如语言政策、语言管理、语言治理、语言战略）。其实，它们是"你中有我，我中有你"，密不可分的。例如，语言服务既是一种语言生活，也是一项语言政策，两者具有同构性。

纳入语言规划的相关内容，有助于明确"语言生活"的内涵与外延，理清不同概念之间的相互关系和结构层次，从而基于语言资源、语言服务、语言安全、语言文明等标识性概念构建一系列中层理论，创建以"语言生活"为基础概念的中心辐射状研究模式，最终形成有序的知识体系。这些标识性概念均处于"语言生活域"范畴之内，而语言规划、语言治理等操作性概念则如同纽带一般将它们相互联结。换言之，这些概念之所以能够汇聚整合，原因就在于它们皆归属于语言规划的研究范畴。

国外语言政策与规划研究一直缺乏宏大理论，其深层原因正是缺少像“语言生活”这样具有统括性的底层核心概念，无法将语言冲突、语言濒危、语言权利、语言景观等概念整合起来。语言生活研究的理论化和系统化，有助于提炼出具有中国特色的学术话语，摆脱理论依附，提升学术界对语言生活研究的认可度，增强学科的国际影响力。

语言生活民族志研究中的几个问题

董　洁（清华大学外文系）　中国语言生活研究在过去的 20 年间快速发展，涌现出一批优秀的著作和论文，也将语言与社会的研究推向了新高度。民族志研究在中国语言生活领域是一位“后来者”。相较于经典的质性、量化、实验等研究方法，民族志以其重视田野工作、探究语言社会生活的复杂性等特点而独树一帜。民族志倡导从研究对象的角度出发，通过长时间沉浸式的田野工作，全面理解和分析研究对象的语言、社会和文化现象，归纳其行为模式，并揭示其背后蕴含的逻辑。著名社会学家费孝通于 1930 年代师从马林诺夫斯基学习民族志，并撰写博士论文《中国农民的生活》（即《江村经济》），这一著作成为中国民族志书写的重要里程碑。

在过去的 10 余年间，民族志在中国语言生活研究领域获得关注的同时，也引发了学术争论。争论的焦点之一，是民族志研究通常聚焦较少案例，而较少案例是否具有代表性。回答这个问题的关键是民族志的归纳法属性。与演绎法的实证思路不同，归纳法注重从语料数据出发，跟随语料所折射出的社会意义，归纳出具有解释力的结论；其中的个案并非独立存在，而是属于某一类别或范畴中的一个例子，通过运用理论对个案进行分析，能以小见大、见微知著。甘柏兹的《北部印度村庄的宗教与社会交际》（1964）就是这一研究范式的代表之一。作者对印度北部乡村的口音变化展开调查，并将该乡村置于一个社会网格之中，探讨网格中不同的宗教、行政和商业中心对该村庄的影响，以点带面地分析 20 世纪 60 年代印度的语言和社会变迁以及宗教在其中起到的作用。

对于民族志的另一个争议焦点是主观性问题。在民族志研究对象的选取、田野工作的记录、语料数据的分析、民族志写作和作者的自我反思等多个环节中，主观性都扮演了十分重要的角色。布迪厄在 20 世纪 80 年代指出，主观性和客观性并非二元对立，对二者的区分不符合人类认识世界的基本规律。主观性是形成客观性的基础，因为任何“客观”的研究结论都需要研究者“主观”的研究过程。无论是在自然科学还是社会科学领域，研究者的主观性都不可避免；数学家、物理学家等自然科学家们也日益重视主观性在推动学科进步中的关键作用。要超越主客观的二元对立，研究者需要认识到自身的主观性并进行反思，其研究结论才有可能趋近于客观。

对民族志的逐渐接受过程蕴含着语言研究观念的转变。虽然民族志获得了广泛认可，但仍然面临一些问题和挑战，例如，简单化处理而忽略其适用性，会造成民族志的泛化现象；民族志研究方法灵活多样，田野工作成效在一定程度上取决于研究者的经验，因此迫切需要提升其实操性；民族志在数智时代的应用和创新等方面都面临挑战。伴随着中国语言生活研究的进一步发展，民族志也将迎来宝贵的新机遇，在研究领域的拓展、研究方法的创新、研究观念的进步等方面都将迈上一个新台阶，为完善中国语言学自主知识体系及提升国际学术话语权提供助力。

责任编辑：王　飙

二十年来的中国语言生活研究[*]

李宇明

（北京语言大学　语言科学院语言政策与标准研究所　北京　100083）

提　要　"语言生活"这一词语，尽管在中国已经使用了70来年，但它作为语言规划学的基本概念受到广泛关注、得到深入阐发，则是近20年来的事情。近20年来，语言生活的研究硕果累累，有效推进了中国语言生活的进步。其一，重新定义了"语言生活"的概念，深入了解了中国乃至世界语言生活状况；其二，集中开展了语言生活一些领域的研究与实践，如语言生活和语言舆情的监测与研究、语言文字规范标准的制定与维护、语言扶贫和语言助力乡村振兴、语言服务和应急语言服务、语言经济与语言产业发展、大华语与海外华语传承等；其三，建立了研究机构体系、"语言生活皮书"系列、学术期刊方阵和一批学科点，探索了人才培养的多种举措；其四，提出了构建和谐语言生活、促进社会沟通无障碍、全面开展语言服务、提升语言能力、保护和开发语言资源、发掘弘扬中华语言文明等六大理念，躬行"从语言生活到语言生活"这一"从实践中来，到实践中去"的学术研究范式，开创了中国语言生活研究的学术体系和话语体系，并在海外产生了重要的学术影响。

关键词　语言生活；语言规划；学术理念；研究范式；20年回顾

中图分类号　H002　**文献标识码**　A　**文章编号**　2096-1014（2025）01-0012-14

DOI　10.19689/j.cnki.cn10-1361/h.20250101

A Review of the Twenty-Year Study of Language Life in China

Li Yuming

Abstract　While the term "language life" has been used in China for at least 70 years, its recognition and thorough development as a fundamental concept in language planning has primarily emerged over the past two decades. During this period, the studies on language life have yielded substantial results and effectively advanced the development of language life in China. The achievements manifest in four key dimensions: Firstly, the concept "language life" has been redefined and more in-depth researches are done to gain a thorough understanding of the language situations both in China or globally. Secondly, focused research and practical implementations have been conducted across various domains, including monitoring language life and public opinion, establishing and maintaining linguistic standards, language poverty alleviation and rural revitalization initiative, language services and emergency language services, development of language economy and language industry, etc. Thirdly, the field has developed institutional infrastructure through the establishment of research institutions, annual reports in series, journal networks and a group of degree awarding units of linguistics, and a variety of measures have been explored for talent cultivation. Fourthly, six major theoretical principles have been proposed: namely building a harmonious language life,

---

*　作者简介：李宇明，男，北京语言大学教授，主要研究方向为语言政策与规划、儿童语言学、语法学。电子邮箱：p55066@blcu.edu.cn。

国家社科基金重大项目"'两个一百年'背景下的语言国情调查与语言规划研究"（21&ZD289）。承蒙陈丽湘、戴曼纯、方小兵、何婷婷、郭熙、李艳、梁京涛、刘丹青、苏新春、王飙、王海兰、魏晖、余桂林、张日培、张天伟、张挺、张振达、赵蓉晖、赵世举、郑泽霞、周洪波等先生无私提供材料帮助，谨致谢忱！

realizing barrier-free social communication, comprehensively carrying out language services, promoting language capacity, protecting and developing language resources, and exploring and carrying forward the Chinese language civilization. The field has embraced a research paradigm of "originating in and returning to language life". This has led to the establishment of distinctive academic and discourse systems in Chinese language life research, which have generated significant scholarly impact internationally.

Keywords　language life; language planning; academic idea and concept; research paradigm; twenty-year review

一、引　言

语言文字在社会生活中的应用备受关注，古来如此。但"语言生活"作为一个概念在中国使用，仅有几十年历史。特别是进入 21 世纪后，"语言生活"才发展为中国语言规划学的一个基础概念。检索中国知网，截至 2024 年 11 月底，篇名中含有"语言生活""语言文字生活""语文生活"的论文，已过万篇；以这些词语为关键词的，有近 500 篇。[①]

2004 年，以语言生活监测为目标的国家语言资源监测与研究中心成立，《中国语言生活状况报告》开始筹编。2005 年，《中国语言生活状况报告》编纂基本完成。2006 年 3 月，教育部、国家语委召开了"纪念国务院《关于公布〈汉字简化方案〉的决议》和《关于推广普通话的指示》发布 50 周年座谈会""语言文字规范化工作学术研讨会"，"语言生活"这一词语不断出现在会议的领导讲话中；会后，《光明日报》发表《构建和谐的社会语文生活》[②]的评论员文章。2006 年 5 月，教育部、国家语委召开"2005 年中国语言生活状况报告"新闻发布会，时任国家语委主任赵沁平在新闻发布会上发表题为《关注语言国情，建设和谐的语言生活》的书面讲话。2007 年 9 月 15 日，第十届"全国推广普通话宣传周"期间，赵沁平主任在《光明日报》发表《构建和谐语言生活，弘扬中华文化》[③]。从 2004 年到 2007 年，"语言生活"发展为国家语言文字事业的重要概念，也成为中国语言规划学者的重要研究话题。

2010 年 10 月，为纪念《中国语言生活状况报告》出版 5 周年，"首届中国语言生活学术研讨会"在中国人民大学举行。2015 年 10 月，"第二届中国语言生活学术研讨会暨《中国语言生活状况报告》十周年论坛"在北京语言大学举行；同年，商务印书馆出版了邹煜编著的《家国情怀——语言生活派这十年》（邹煜 2015），这部作品记录了语言生活状况报告编写团队的人和事。2020 年 11 月，"'中国语言生活皮书'编纂十五周年暨第三届中国语言生活学术研讨会"在商务印书馆举办。这些年，特别是在一些重要的时间节点上，也有一些纪念、总结、研究的文章发表，如王铁琨（2010）、郭熙（2015）、侯敏和杨尔弘（2015）、苏新春和刘锐（2015）。2016 年，语言生活研究的旗帜性杂志《语言战略研究》创刊，该年第 3 期、第 5 期分别发表了郭熙和祝晓宏（2016）、赵世举（2016）。此外，李宇明、郭熙、周洪波（2020）是对中国语言生活研究 15 年的总结，郭熙（2023b）是对中国语言生活研究 20 年的总结。

---

　　① 对中国知网的检索时间为 2024 年 11 月 28 日。篇名中含"语言生活""语言文字生活""语文生活"的论文分别为 1886 篇、66 篇、8688 篇；以其为关键词的论文分别为 428 篇、0 篇、61 篇。"语言生活"与"语言文字生活"所指近似。"语文生活"的内涵有二：A. 与"语言生活"近似；B. 语文教育中的一个概念。但 B 也可视为广义的语言生活，或者是语言生活的概念在语文教育界的迁移使用。就篇名而言，含"语文生活"的文章占绝对多数，但就关键词而言，将"语言生活"作为关键词的文章，则占绝对多数。这说明"语言生活"已经是个基础性的学术概念。

　　② https://www.gmw.cn/01gmrb/2006-03-31/content_397312.htm.

　　③ https://www.gmw.cn/01gmrb/2007-09-15/content_671538.htm.

2004 ～ 2025 年，中国语言资源监测研究进行了 20 多年，《中国语言生活状况报告》持续编纂出版 20 年，《语言战略研究》杂志已创刊 10 年。2025 年也是对语言生活研究进行史料集聚、学术总结的重要时间节点。2023 年 11 月，6 家国家语委语言资源型研究机构齐聚厦门大学，召开"2023 语言资源高端论坛"，回顾、总结中国语言生活监测研究 20 年。本文也是在这一时间节点上，对中国语言生活 20 多年来的发展，尝试做些总结，以纪史实，以理脉络，以得经验。

二、"语言生活"概念的发展

（一）语言生活的学术发展脉络

早在 20 世纪 50 年代之前，日本语言学家就提出了"语言生活"（言语生活）的概念。1973 年，南不二男在《国立国语研究所二十五周年》一文中，把日本国立国语研究所 1948 ～ 1963 年这 15 年，称为"语言生活研究时期"（见刘海燕 2024：15）。1951 年，他们创办《言语生活》月刊（1988 年停刊），并开始出版名为《言语生活之实态》的语言调查报告。依照当时日本学者的理解，"言语生活"可指人类语言交流的所有问题，其实他们研究的主要是地域方言和社会方言的问题。

在中国文献里，笔者见到的"语言生活"最早用例，出自罗常培、吕叔湘先生在 1955 年 10 月"现代汉语规范问题学术会议"上所做的报告《现代汉语规范问题》（罗常培，吕叔湘 1956）。不过那时"语言生活"用了引号，表明它还是一个比附性用法。10 年后，吕叔湘先生 1965 年发表的《四方谈异》中，使用了"语言（口语）生活"（吕叔湘 1965），中间有"（口语）"隔断，表明此处指的是口语语言生活，但也说明"语言生活"的概念还不固定，或许是偶尔一用。十几年后，已偶有学者专文讨论，虽是"语言生活""语文生活"交替互用，但已进入标题。例如：周有光《语言生活的现代化》（1979）、《我看日本的语文生活》（1986）、《语言生活的五个里程碑》（1989）（见罗天华，等 2019）；陈章太《论语言生活的双语制》（1989）、《四代同堂的语言生活——陈延年一家语言使用的初步考察》（1990）、《语文生活调查刍议》（1994）、《再论语言生活调查》（1999）（见《陈章太先生纪念文集》编委会 2024）；等等。

"语言生活"在文献中的使用逐渐频繁，是在 2000 年以后，特别是《中国语言生活状况报告》的持续编纂和出版、2006 年前后国家语委把"构建和谐语言生活"作为工作目标之后。如果说，1955 年罗常培、吕叔湘先生使用"语言生活"，1965 年吕叔湘先生使用"语言（口语）生活"，还是偶发现象；则此后周有光、陈章太等先生的使用，已具有学术探索意义；而到了 2005 年《中国语言生活状况报告》的编纂、《光明日报》2006 年的评论员文章、赵沁平主任的两次讲话，"语言生活"的使用已经具有自觉性，是学术自觉和工作自觉。此后，中国语言生活的研究便在这"双重自觉"状态下开展起来。

（二）语言生活的内涵与外延

"语言生活"的核心所指，是语言文字的运用所形成的社会生活。眸子（1997）这样定义语言生活：

> 运用和应用语言文字的各种社会活动和个人活动，可概称为"语言生活"。说话、作文、命名、看书、听广播、做广告、语言教学等等，都属于语言生活范畴。

当时笔者已经认识到，语言生活应包含个人和社会两个方面，还试图区分"语言运用"和"语言应用"，把语言文字的具体交际使用看作"语言运用"，把语言文字研究成果的使用看作"语言应用"。

同年，李宇明（1997）对"语言生活"再行定义：

> 语言生活是指学习、运用和研究语言文字的各种活动，以及对语言文字研究成果的各种应

用，其领域非常广阔，其地位十分重要。

此定义的最大特点，是把"学习、研究"语言文字的活动列入语言生活范畴。当时已经认识到，语言学习（特别是二语学习）已经具有普遍性，是重要的语言生活；也意识到语言研究在语言生活中的重要性，是对语言生活的理性引导。

又经过近 20 年的思考，李宇明（2016a）第三次对"语言生活"进行定义：

　　　　语言生活是运用、学习和研究语言文字、语言知识、语言技术的各种活动。

这次定义的最大特点，是根据语言生活的发展和对语言生活认识的深化，把过去定义中"语言"的外延扩大为"语言文字""语言知识""语言技术"3 个部分，概括出了语言生活"九范畴"（见表 1）。

表 1　语言生活"九范畴"

	语言（文字）	语言知识	语言技术
运用	语言运用	语言知识的运用	语言技术的运用
学习	语言学习	语言知识的学习	语言技术的学习
研究	语言研究	语言知识的研究	语言技术的研究

现在已进入了读图时代、超语时代，语言文字的外延不能仅仅是口语和书面语，还应包括非语言的符号、手语盲文，以及有传递信息作用的图表、视频等材料。语言技术也发展到语言智能阶段，"人-机-机-人"交际成为常态，语言数据成为新质生产资料，语言由人类的专属发展为人和机器两个"物种"共用。因此，今天对语言生活九范畴的一些细节，还可以进行更加符合现实的阐释或补足。

（三）语言生活的层次及领域

研究语言生活需要有合适的观察点。首先，语言生活是分层次的：（1）国家语言生活，可称为"宏观语言生活"；（2）个人、家庭、基层单位、基层组织等微观语言生活；（3）县域、地区、省域、跨省区域等中观语言生活；（4）国别、国际区域、国际组织（包括"跨国组织"）的国际语言生活，可以称为"超宏观语言生活"。

语言生活不仅具有层级性，也具有领域性。每一社会领域都有自己特殊的社会状况，故而有自己特殊的语言生活，比如教育、行政、外事、司法、新闻出版、广播电视、交通运输、医疗卫生、通信、经贸、金融、旅游、餐饮、环保、文博、体育、娱乐、工矿、军旅等等。不同领域的语言生活有不同的特点、需求和问题，需要进行合适的语言规划。上述语言生活的 4 个层次，每个层次也都可以再从领域的视角进行观察。

"语言生活"的概念源自日本，中国早期关于这一名称的使用是否借鉴了日本，还需要考证。但是，就语言生活概念的现今定义及其在语言规划学中的重要地位看，它是中国学者对当代语言生活全面观照的结果，是对语言与社会关系深入思考的成果，是对语言规划学的一大贡献。在现在的语言学体系中，很难找到与"语言生活"相同相近的概念，外文翻译通常都采用直译，比如英译为"Language Life"。这种直译已为国际学者所认可。

三、语言生活研究与实践的八个突出领域

语言生活研究虽然是学术工作，但更具有推进语言生活进步的学术激情与使命，并在推进语言生活的过程中，也获取了研究材料，改进了研究方法，检验了研究成果，实现了学术使命。语言生活的

学术研究与语言生活的现实进步，是"互动互育"的关系。20 年来，语言生活的研究与实践在互动互育中取得了若干方面的成绩，本节对较突出的 8 个领域做一简述。

（一）语言生活监测

规划语言生活，需要了解语言生活，当务之要是了解媒体的语言文字使用情况。2004 年国家语言资源监测与研究中心成立，至 2008 年 12 月，平面媒体、有声媒体、网络媒体、教育教材、汉语辞书、少数民族语言、海外华语、语言资源开发应用等八大中心陆续建成，基本形成了语言生活的监测体系。

监测方法主要是新兴起的语料库研究手段，监测理论主要借鉴张普教授的"动态流动语料库"理论（参见张普 2009），监测数据已经形成了 20 年语言文字应用的国家语言数据库。每年的监测成果，通过教育部和国家语委的新闻发布会、《中国语言生活状况报告》向社会发布，并利用每年年末举行的"汉语盘点"（已经举办 19 届）向社会发布年度字、词、流行语、新词语、网络用语等标志性数据。语言生活监测，看到了"千字万词"即可满足语言生活基本需求的用字用词特点；发现了汉语每年可产生新词语 1000 个左右，而且新词语以三音节为主的情况。语言生活的监测数据，支持了语文教材、华语词典的编写，为"规范汉字表"等规范的研制提供了参考。

（二）语言舆情监测

语言生活往往会产生一些热点问题，这些热点问题在网络时代更易引发舆情。当国家语言资源监测与研究体系建立之后，语言舆情监测便提上日程。2009 年 3 月，中国语情监测与研究中心（武汉大学）成立[①]；4 月，教育部语用所语言舆情研究中心成立。语用所语言舆情研究中心定期编纂《语言舆情扫描》，编发《语言文字舆情与动态》，出版了著作《语言舆情与语言政策探索》（魏晖 2016）。武汉大学的中国语情监测与研究中心，编纂了《中国语情》《中国语情特稿》《中国语情月报》（电子版）等，出版了《中国语情档案丛书》[②] 等多种著作（赫琳 2018），开办"中国语情"微信公众号。

通过语言热点、语言舆情来了解语言生活，有其观察上的便利，更能及时验证对问题判断的准确性和处理措施的有效性。这两个中心，利用网络技术和舆情监测的理论与方法，形成了语情研究的方法与技术；使语情监测常态化，发布方式多样化；了解了互联网的深浅炎凉，系统记录了十余年中国的语言热点现象及语情状况，形成了数据库；认识了语情发生发展的一些规律，协助了有关部门处理语情，发挥了重要的资政作用。

（三）语言文字规范标准的制定与维护

语言文字规范标准是语言生活秩序的基础性保障，是公共政策产品。语言文字规范标准建设，一直居于语言文字事业的基础地位。早年的语言文字规范主要是面向人的。自从 20 世纪 80 年代以来，信息化、数字化、智能化极大影响着社会信息的处理，也成为牵动语言文字规范标准建设的主线。相关理念和实践包括：（1）尽量利用信息化、数字化技术及产品，支撑语言文字规范标准研制，提出了"以语言工程为支撑"的理念；（2）为信息化、数字化营造良好的规范标准氛围，在制定其他语言文字规范标准时，要尽量有利于信息化、数字化发展；（3）及时进行语言文字信息化、数字化标准的规划

---

① 2014 年 7 月，该中心更名为"中国语情与社会发展研究中心"。

② 《中国语情档案丛书》，赵世举教授主编，由社会科学文献出版社出版。该丛书是中国语情监测与研究中心多年来持续观测分析和跟踪研究现实中国语言生活状况的集成性成果。旨在为中国语情及其研究建立一套原始的信息资源档案，留下真实的历史记忆，供有关部门制定语言政策和规划、解决现实相关语言问题服务，为有关领域学者开展学术研究提供参考。该丛书目前分为 3 种：《中国语情研究》《中国语情年报》《新词新语档案》。

布局，加强相关标准研制，如汉语键盘布局标准、汉字拆分标准、汉语分词标准等。为使信息产品合乎语言文字标准，还需要进行监测认证。

语言文字标准制定较为困难，所需时间较长，修订更容易引发社会议论，但是各行各业又都急需标准供给。为解决制定和修订难度大、时间长而社会又急切需要的矛盾，标准建设形成了刚柔相济的思路，尝试建立了"软硬兼施"的标准体系。（1）国家标准、语委标准是较为刚硬的标准，如《通用规范汉字表》《公共服务领域英文译写规范》等；（2）标准草案、试行标准、推荐标准的力度就柔软一些，行业企业标准的适用范围就有领域的限定；（3）学术蓝本、行业协议等，更加柔软，没有标准效力，不过一旦被行业企业等采用，就能发挥标准的作用。李宇明（2020b）就制定了《现代汉字分级字表》《普通话轻声常用词表》《普通话儿化常用词表》《字母词常用词表》等4个学术蓝本。再如《关于"象"与"像"用法研讨会会议纪要》，是全国科技名词委和国家语委于2001年10月18日召开的研讨会形成的共识，基本解决了"象""像"的用法问题。这个纪要就发挥了标准的作用。在语言生活的实践中可以多用软规范；如果使用效果好，再经一定的标准审定程序，升为硬标准。

语言文字规范标准建设呈现如下发展趋势：（1）从语言文字本体到语言文字应用；（2）从通用领域到具体领域或场景；（3）从域内到域外，即从大陆到港澳台，到海外华人社区，再到国际社会；（4）从现代到传统；（5）从人到机器，再到人机共用。规范标准真正在语言生活中发挥作用，还需语言产品作为中介，如辞书、教科书、有关的信息产品等；需要科学研究、数据平台的支撑；也需要网络媒体，特别是网红大 V 的宣传，让有影响的人去影响人，让规范标准自己长腿。

（四）语言资源的调查与保护

语言调查是语言研究的基本手段，具有悠久的传统。西汉扬雄的《輶轩使者绝代语释别国方言》，就是最早的方言调查著作。近半个多世纪以来，中国也不断开展大规模的语言调查，如1956年全国范围的语言普查，普查方言点1849个；还组建7个调查队进行少数民族语言普查，调查了42个民族的50多种语言。20世纪80年代前后进行了"中国新发现语言"调查、《普通话基础方言基本词汇集》调查、中国语言文字使用情况调查等（见中国语言文字使用情况调查领导小组办公室2006）。

2007年，中国语言资源有声数据库建设进行了多次论证，开展了20余项课题研制，形成了技术规范和工作规范。2008～2010年，先后在江苏5个城市进行试点，正式出版了《中国语言资源有声数据库调查手册》。2011年起，开始在上海、北京、广西、辽宁、福建、山东、河北、湖北等省份开展有声数据库建设。这一数据库建设被认为"得政心，得民心，功在当代，利及千秋"①。在此基础上，2015年启动了"中国语言资源保护工程"，一期建设历时5年，完成1712个调查点、123个语种及其主要方言的调查。现正进入二期建设。此外，也有机构开展了中国边境语言资源的调查，乃至世界语言资源的调查研究，力图编纂《万国语言志》。

2007年以来的这些语言资源调查，树立了语言资源意识，传播了科学保护汉语方言和民族语言的理念；依据方言学、社会语言学、语料库语言学的原理及中国语言调查经验，形成了一套科学有效的技术规范和工作规范，提升了语言调查技术，培养了大批语言调查人才；用语言调查的方式深入了解了语言国情，建成123个语种及其主要方言的有声数据库，为中国语言文化的保存保护打下了坚实基础。

---

① 参见：李卫红《中国语言资源有声数据库建设，功在当代，利及千秋》，www.moe.gov.cn/s78/A19/A19_ztzl/yuyan/201202/t20120202_129842.html。

（五）从语言扶贫到语言助力乡村振兴

贫困是历代中国都在应对的重大社会问题。2016 年，国务院印发《"十三五"脱贫攻坚规划》，要求到 2020 年农村贫困人口实现脱贫，贫困县全部摘帽，解决区域性整体贫困问题。

致贫原因多种多样，扶贫脱贫要千方百计。语言与贫困具有相关性，"费希曼–普尔假说"是国际上关于语言与贫困具有相关性的认识。20 世纪 50 年代的扫盲运动，便是语言扶贫的早期行动。2016 年《国家语言文字事业"十三五"发展规划》发布，其中就有语言扶贫的工作部署。2018 年 1 月，教育部、国务院扶贫办、国家语委联合制定《推普脱贫攻坚行动计划（2018—2020 年）》，就推普扶贫提出了一个"目标定位"、四个"基本原则"和九大"具体措施"。

在语言扶贫行动中，面向贫困地区编纂了多个系列的多媒体普通话读本，搭建了时空无障碍的网络学习平台，开发了专用的普通话测试标准及软件，大批志愿者深入贫困地区开展语言扶贫工作。同时还开展了一系列理论与实践相结合的学术研究，例如：2018 年和 2019 年的《中国语言生活状况报告》，连续刊发 3 篇以语言与贫困为主题的研究报告。2018 年 6 月，"语言与贫困"微信公众号创建。《语言战略研究》《云南师范大学学报（哲学社会科学版）》等都设置了"语言与贫困 / 语言扶贫减贫"专栏。2019 年，"中国语言扶贫与人类减贫事业论坛"召开，并发布《语言扶贫宣言》。商务印书馆连续出版《语言扶贫问题研究》第一辑（李宇明 2019）、第二辑（李宇明 2020a）。这些研究，从语言能力与人力资本、语言教育与贫困代际阻断、语言与技术传播等角度，研究语言扶贫原理，总结语言扶贫经验，精准开展语言扶贫。"语言扶贫"是共和国发展史上的浓重一笔，更是中国语言学史上的神来之笔。

在巩固拓展脱贫攻坚成果的基础上，国家又开始做好乡村振兴这篇大文章。将语言扶贫成果同乡村振兴有效衔接，又成为语言生活研究新课题。乡村振兴中充分发挥语言的作用，需要注意：（1）乡村语言资源的收集保护和开发利用；（2）乡村振兴背景下的乡村语言规划。现在，一批有志于振兴乡村的语言学者，用心做学问，用"我者"的身份与乡村人同呼吸，特别是有条件者积极回到自己的"母村"，探寻语言助力乡村振兴的有效举措。《语言战略研究》三度设置"语言与乡村振兴"专题，赵春燕（2022）、郑亚豪（2022）、邱春安等（2023）、付义荣（2023）、周洪波等（2024）、殷志平（2024）等，都能显示这种研究志趣。

（六）语言服务和应急语言服务

语言服务，就是利用语言（包括文字）、语言知识、语言技术及语言的所有衍生品来满足语言生活的各种需要。狭义的语言服务主要指以翻译为主的服务活动。"语言服务"的意识早而有之，但是作为一个术语，形成语言生活研究的一个学术领域，始于 2005 年。那年 9 月，上海举行"世博会语言环境建设国际论坛"，屈哨兵等专家对"语言服务"进行专题讨论。2007 年，屈哨兵《语言服务研究论纲》发表；2008 年北京奥运会期间成立了"多语言服务中心联合工作组"，用 44 种语言提供"无障碍"语言环境。自此之后，语言服务进入了发展的快车道，召开了一系列学术会议，发表和出版了许多研究论著（屈哨兵 2016；李现乐 2018；李宇明 2016b），成立了研究机构和语言翻译与咨询机构，中国翻译协会也较好发挥了行业协会职能，国际语言服务行业大会不断在中国召开。2020 年《中国语言服务发展报告（2020）》（屈哨兵 2020）出版，是语言服务事业发展的新标志。最近，数字语言博物馆和国家语言资源服务平台的建设，体现了数智时代语言服务平台建设的发展方向。

谈及语言服务，不能不谈应急语言服务。2008 年汶川地震发生时，陈章太先生等就提出要研究"灾难语言学"；2010 年玉树地震发生时，应急救援问题更显迫切。《中国语言生活状况报告》专门介绍过日本灾难语言、简明日语的相关情况，也有学者研究行政领域的简化语言问题。

2020 年，武汉新冠疫情暴发，引发了应急语言服务的实践活动，语言学界研发了《抗击疫情湖北方言通》。之后，随着国际疫情的发展，又研发了《疫情防控外语通》《疫情防控"简明汉语"》。多所大学和学术团体都在特殊时期为应急语言服务做出了特殊贡献。多个报纸、杂志和语言文字公众号，也都积极传播应急语言服务的信息与理念。

2022 年 4 月 28 日，国家应急语言服务团成立，应急语言服务迈入全新发展阶段。组织机构建设、学科建设、法律法规建设、应急语言调查、《应急语言服务术语词典》编纂、救援现场应急语言服务演练、国际应急语言服务等，都开展起来。应急语言服务的理论研究也有不小进展，提出了应急语言服务的三大功能：语言沟通、语言抚慰和应急语情监测；也提出了应急语言服务涉及的三大场域：现场救援、社会大众和国际社会。要做到"平时备急，急时不急"。应急语言服务是国家语言能力的有机组成部分，事关国家应急救援和国家安全，体现着语言学人的学术道德与社会使命。

（七）语言经济与语言产业的发展

关注语言的经济特点，最早是关于语言的音变、省略、简称等语言"经济性"的认识，而语言生活所关心的是语言在人类经济活动的作用。2004 年，山东大学经济研究院成立语言经济研究所，2011 年 12 月，该所发展为"山东大学语言经济研究中心"。2009 年，开始举办中国语言经济学论坛，至今已举办 16 届，影响波及全国。

2010 年 9 月，"北京语言产业研究中心"在首都师范大学成立；2018 年 4 月，更名成立"中国语言产业研究院"。这是我国首个以语言产业为专门研究对象的科研机构。该中心 / 研究院出版《语言产业研究丛书》，主办《语言产业研究》（集刊）；2012 年创办"中国语言产业论坛"，至今已举办 10 期；承办 3 届"中国北京国际语言文化博览会"，填补世界华语区语言文化主题博览会空白。2019 年开始招收语言产业方面的博士、硕士研究生。

《国家语委"十二五"科研规划 2011 年度项目指南》首次把"语言经济与语言产业发展战略研究"列为重要的科研方向，表明语言经济、语言产业已开始进入国家的语言规划，之后的有关文件都有这方面的内容。《语言战略研究》2017 年第 5 期开设"语言产业研究"专题。从 20 年来语言经济、语言产业的研究与实践，至少可以从 4 个方面来认识语言的经济功能。第一，语言能力是劳动力的重要构成要素，特别是在服务业成为重要产业、数字经济成为重要经济形态的时代。第二，人类的经济活动都需要语言参与，特别是在传播技术与经济信息形成同一市场方面，语言发挥着更重要的作用。第三，语言产业是国家经济的重要组成部分。语言产业有各种业态，就业者形成各种语言职业。语言产业发展的根本，就是了解语言需求，满足语言需求，提升语言需求。第四，语言数据是数字经济的关键生产要素，新质生产力都离不开语言智能的加持，数字经济赋予语言以生产力的性质。

（八）大华语与海外华语传承

华人移居海外形成华族，华族在海外使用汉语方言，也使用超越方言的华语。随着新华人移居欧美、非洲等新地区，随着海外华语研究的发展，随着华语（文）教学的发展，随着海外华语与国内汉语的协调互动，传统"华语"的概念已显不足，于是产生了"大华语"的概念。

《全球华语词典》2002 年启动编纂，2010 年完成；《全球华语大词典》2011 年启动，2016 出版。在编纂这两部词典的将近 15 年历程中，在积累了大量的华语社区语言材料的基础上，在从宏观上思考全球华语问题时，"大华语"的概念逐渐明晰。大华语是指"以普通话 / 国语为基础的全世界华人的共同语"，各华语社区存在多种华语变体，目前各华语变体正在向着趋近趋同的方向发展。

2011 年，邢福义先生酝酿开展"全球华语语法研究"并获批国家社会科学基金重大项目（邢福义，汪国胜 2012）。2021 年结项，现已出版《全球华语语法》的香港卷（田小琳主编）、马来西亚卷（郭熙主编）、美国卷（陶红印主编）和新加坡卷（周清海主编）。这一研究从语法角度丰富了对"大华语"的认识：不同华语区的语法差异程度不一样，但宏观上还是呈现"大同小异"的格局。

《语言战略研究》2017 年第 1 期设置"全球华语研究"专题；同年第 4 期"语言生活研究"栏目的"多人谈"又重点讨论了"大华语"问题。同时，《语言战略研究》还四度设置专题，讨论华语及其教育、传承等问题。海外华语研究中心长期开展华语资源库建设，重视"海外华语资源的抢救性搜集与整理"，出版了《华语研究录》《华语与华语传承》《华文教学概论》等，探讨了华语、华语教育、祖语传承等一系列理论与实践问题（郭熙 2023a）。

这些研究，把语言生活的学术触角从国内延伸到海外，用世界眼光看待全球华人的共同语及华语变体，认识不断深入，领域不断拓展，研究范式也随之更新。

四、学科建设和人才培养

学科建设和人才培养是学术发展的重要保证，也是语言生活研究的学术保证和成果体现。本节从 3 个方面对这一情况做些梳理。

（一）研究机构和同仁学会

研究机构是在事业发展需要、依托单位有积极性有研究实力的基础上逐步建立起来的。除了前面介绍的国家语言资源监测与研究中心等 8 家国家语委科研机构外，国家语委还陆续再建了 20 家中心。这 28 家国家语委科研机构，基本覆盖了语言生活的主要研究领域。此外，2020 年 10 月开始建设的国家语言文字推广基地，现已有 187 家，它们也是语言生活领域的重要力量。

同仁学会也是学科建设的重要内容。中国语文现代化学会、中国文字学会、中国应用语言学会（筹）、中国语言学会社会语言学分会等，都开展语言生活的研究。2015 年，中国语言学会语言政策与规划专业委员会成立，连续举办了 10 届"中国语言政策与语言规划学术研讨会"。此外，在商务印书馆举行的中青年语言学者沙龙（2006 ～ 2020 年）和海内外中国语言学者联谊会（2010 ～ 2020 年），也是讨论语言生活问题的主要论坛。

（二）"语言生活皮书"系列与学术期刊方阵

"语言生活皮书"系列，记录了 20 年来中国语言生活及其研究状况，是这一领域的标志性成果，也是国内外了解中国语言生活及其研究的重要资料。

《中国语言生活状况报告》是皮书中最早编纂、影响最大的，俗称"绿皮书"。2004 年开始编纂，前后召开 10 余次编写修改会，4 次审稿会，近百名作者、专家以及 20 余家政府部门参与。前后八易其稿，五出校样，两印毛书，历时两年完成，是一部在探索中不断成型的开先例之作（李宇明 2007）。在 20 年来的实践中，绿皮书由上下两卷整合为一卷；封面标记由"内容年"改为"出版年"；为便于忙人阅读，还曾附编一本小册子《中国语言生活要况》。

绿皮书有 4 个系列的外文译本。英文版《中国语言生活状况报告》由李宇明、李嵬主编，德国德古意特出版社（De Gruyter Mouton）与商务印书馆联合出版，已出版 6 卷。日文版已在日本出版 4 卷，韩文版已在韩国出版 5 卷，还有俄文版 1 卷。据考察，海外许多图书馆有收藏，一些专门的国际学术杂志有评论，许多学者有引用。

《中国语言政策研究报告》俗称"蓝皮书"。创办蓝皮书的设想几乎与绿皮书同时，并开过多次会议，试拟过多次编写大纲，但到2015年才开始出版。过去，我国只有语言文字工作的概念，相关的学术研究漫散在应用语言学、社会语言学等其他学科中。蓝皮书的主要作用，就是开拓、廓划语言规划学领地，总结每年的研究成果，引导研究发展方向。

《世界语言生活状况报告》俗称"黄皮书"，2016年开始出版。在全球化时代，做好语言规划需要了解国际情况。《中国语言生活状况报告》的"参考篇"栏目，就是关于世界语言生活及其研究状况的。但是容量有限，于是就有了黄皮书的问世。黄皮书通过建立数据库的方法，逐年遴选世界各国、国际组织的重要语言生活状况，报告国际上语言规划研究状况，使国人能够"正眼看世界"。

《中国语言文字事业发展报告》俗称"白皮书"，2017年开始出版。白皮书主要通过年度事业发展状况总述、专题工作报告、专项统计数据等，系统介绍国家和地方的语言文字事业发展状况。

国家语委这四大皮书年年发布，从不同角度展示中国与世界的语言生活及其研究状况。此外，2016年《北京语言生活状况报告》出版，现已出版3辑，是首善之区的首善之举。2018年《广州语言生活状况报告》出版，2020年《上海语言生活状况报告》出版。京穗沪三皮书展示了大都市的语言生活景观，反映了区域语言学理念。其实，我国许多省域、大都市都有独特的语言生活，都可进行皮书式总结。2020年，《中国语言服务发展报告》出版，这是我国首部领域语言生活皮书，反映了领域语言学理念，其他领域也是可以做发展报告的。2021年，《粤港澳大湾区语言生活状况报告》出版，这是我国首部跨省域语言生活皮书。2025年，《闽台语言生活状况报告》也将付梓，皮书系列再增新成员。

语言规划领域的学术期刊，当年主要有《语言文字应用》和《语文建设》，《语文建设》后来把主要精力转移到语文教育领域。随着语言生活研究机构的建立，又逐渐办起一些语言生活、语言规划领域的杂志（或集刊）。2012年《中国语言战略》在南京大学创刊，已出版21辑。2014年《语言政策与规划研究》在北京外国语大学创刊，已出版20辑。2015年《语言规划学研究》在北京语言大学创刊，已出版13辑；同年《语言政策与语言教育》在上海外国语大学创刊，每年2辑。2016年《语言战略研究》在商务印书馆创刊，已出版54期。许多学报、杂志开辟有数十个与语言生活相关的专栏，此外还有数十家相关的微信公众号。杂志、专栏、公众号，形成了中国语言生活研究的杂志方阵。

（三）人才培养

上述研究机构、皮书系列和期刊方阵，都是人才培养的平台。研究人员的学术出身涉及较多学科，正可以形成整个研究队伍的复合型知识结构，如果作用发挥得好，有利于解决复杂的语言生活问题。这些研究机构，多数设在高校或科研院所，可以利用已有的人才培养体系，特别是学位点，进行语言生活研究人才的培养。

2005年，南开大学设立"语言政策"的博士培养方向。2012年，上海外国语大学在"外国语言文学"一级学科下，创建"语言战略与语言政策学"，2019年更名为"语言政策与语言教育"，是独立的二级学科点。2014年，北京外国语大学建立"语言政策与规划研究"博士点。2014年，北京语言大学建立"语言政策与语言规划"二级学科点；2021年，设立"语言资源学"博士专业。这些培养硕博研究生、博士后的专业学位点，是我国语言生活、语言政策等研究的学科化，是交叉学科建设在语言学领域的重要实践。

国家语委也特别重视青年学者的在职培养。2014年开始举办"语言文字应用研究优秀中青年学者研修班"，已举办10期；2015年开始举办"全国民族语文应用研究中青年学者研修班"，已举办6期；2017年开始举办"语言文字中青年学者海外研修班"，举办地点在英国谢菲尔德大学，已举办4期；

2022 年开始举办"语言文字研究高级研修班"，已举办 3 期。为了发挥培训的长期效应，又将参加过培训的学者再组织起来，2015 年成立"语言文字应用研究中青年学者协同创新联盟"。该联盟原则上每年举办一次学术论坛，从 2015 年起已举办 8 届。这个"四班一盟一论坛"的中青年人才培养支持框架，总计 1279 人次参训，很有成效，值得坚持。

五、理念与范式

20 年来，中国语言生活研究者在了解语言生活、改善语言生活的理论和实践中，形成了若干理念和自己的研究范式，具有理论和方法论层面的意义。

（一）六大理念

第一，构建和谐语言生活。中国是一个多语言、多方言、多文字的多民族统一国家，同时还有大规模的外语教育。需要用"通用性与多样性"的思路处理好语言关系，消减语言矛盾及因其引发的社会矛盾，使境内的语言文字能够各展其长、各得其所、和谐相处，使语言生活和谐而充满生机，进而促进社会的和谐发展。

第二，促进社会沟通无障碍。推广国家通用语言，使整个社会沟通无障碍。开展外语和国际中文教育，使中外沟通无障碍。设计盲文、手语，便于语言障碍人群的沟通；还有一些特殊群体，如老人、儿童、家庭妇女及不熟悉移动网络的人群，需帮助他们过好现代语言生活。在数智时代，还需要人机沟通无障碍。"无障碍"理念由生活无障碍发展到信息无障碍，由残障人群发展到老年人群乃至生活全域。而今"无障碍"理念应扩展为"无障碍社会"的理念，无障碍社会应成为人类的美好理想。

第三，全面开展语言服务。语言服务是一个体系，由语言服务提供者、语言服务内容、语言服务方式和语言服务接受者构成。政府是语言服务最大的组织者和提供者，管理就是服务，政府的职责就是向各行各业、各种人群、各种场景提供语言服务。语言服务的产品由语言产业和具有语言专长的人士提供，服务方式有有偿语言服务和无偿语言服务等多种。接受语言服务就是进行语言消费，接受无偿的语言服务就是获取"语言福利"。语言服务水平，包括应急状态下的语言服务、对特殊人群的语言服务，决定着社会的语言生活水平。应依照现代社会需求制定语言服务的有效政策；发展语言产业、语言职业，开拓语言服务市场；培养语言服务人才，提倡社会的语言消费意识，关注互联网带来的新兴语言服务职业。

第四，提升语言能力。语言能力有公民和国家之分。公民语言能力是公民运用语言完成人生事务的能力。要引导公民制定合适的家庭语言规划，发展"三语"（包括"准三语"）能力。既要重视国家通用语言的学习，也要维持汉语方言和民族母语的能力，还要掌握一两门外语。国家语言能力是国家处理海内外事务所需要的语言能力，语种能力应为 20/200，即熟练掌握世界上最为重要的 20 来种语言以获取新知，能够使用 200 来种语言参与全球治理，为构建人类命运共同体服务。同时要重视言说能力，能向国内外很好表达欲言之事，实现沟通互信，用言说推动社会进步。

第五，保护和开发语言资源。语言不仅是交际工具和思维工具，还是文化资源、经济资源和人工智能资源。保护汉语方言和民族语言，就是保护中华民族对于世界的传统认识。利用语言资源（语言数据）帮助人工智能获取语言能力，可以发展新质生产力，开拓新世界，语言数据成为数智时代的重要资源。语言教育、语言服务等也须凭借语言资源进行。就某种意义而言，国家语言能力，就是培育、集聚、利用语言资源的能力。

第六，发掘弘扬中华语言文明。语言文明是指储存在语言文字中的人类文明，也包括人类利用语言文字所创造的文明。人类在语言文明中进步，并在进步中不断丰富着语言文明。中华语言文明，是中华诸语言诸文字承载的文明，是中华民族运用中华诸语言诸文字所创造的文明，是中华民族的文化基因和精神家园。在数千年的历史进程中，在独具特色的中华文明的形成发展中，中华各语言文字都发挥了程度不同的作用。当然，夏商以来，汉语在中华民族历史上一直发挥着特殊作用。弘扬中华文明，其基础任务就包括弘扬中华语言文明。语言文明，是在人类起源、发展的全历程中考察语言作用而生发的理念，是把语言作为人类知识库、人类生活生产凭借、人类文明基础而进行的概括。

在语言生活的研究和实践中，笔者一直在叩问什么是理想的语言生活，何以实现理想的语言生活，实现理想的语言生活需要秉持什么样的语言观念？这六大理念，第一、第二是关于理想的语言生活的理念，亦即和谐且沟通无障碍；第三、第四是实现理想的语言生活需要采取的重大举措，亦即提供语言服务，提升语言能力；第五、第六是实现理想的语言生活所应秉持的基本观念，亦即语言资源观和语言文明观。

（二）学术范式

语言生活研究具有强烈的现实品格，在实践中了解世界、认识世界，但学术步伐绝不止于"认识世界"这一思想层面，还要进而"改造世界"，步入实践层面。这种"现实品格"形成了"从语言生活到语言生活"的学术研究范式。

第一，语言生活是研究的出发点。研究的起点不在书本，不是某个理论，而是现实语言生活。这就需要深入语言生活、了解语言生活，发现语言生活中需要解决的问题。中国语言学有田野调查的传统，这田野，今天看来，不仅包括自然语言的田野，也包括社会语言运用的"田野"。互联网不断丰富着当今的语言生活，亦是语言生活的"新田野"。研究者的身份有"他者"与"我者"之分。他者是为了保持研究的客观性，但也把研究对象当客体，少了情感因素。而对语言生活的观察了解，应以我者的身份长期深入，带着感情去发现语言生活中的真问题。

第二，语言生活问题的"问题化"。学者解决社会问题用学术方式，需把社会问题转化为学术问题。首先应把在语言生活中发现的问题，与语言学曾经处理过的问题关联起来，将问题植入到一个相关相近的学科体系中。一旦把问题纳入一个学科体系，就可以用学术的办法来处理。一些问题如果在现有学术体系中找不到它的位置，还可以去邻近学科考察，看有无处理相似语言问题的尝试，或可借鉴。当然也可以建立全新的学术框架。

其次就是考虑研究方法的问题。研究语言的方法主要有自然观察法和试验法、质性研究法和量化研究法等，许多研究方法需要专门的技术与装备。研究方法和技术是解决问题的船与桥，只要能解决问题，到达"河流"的彼岸，什么方法和技术都是可以使用的。重视研究方法，但不可助长"技术主义"。

第三，语言生活是研究成果的验证处。通过研究得出的结论，需要接受语言生活的检验。在语言生活检验中来评价成果，看是否切合实际，能否解决问题。接受检验的成果，自然不能仅仅是理论成果，还应有解决问题的方略举措，如此才能评估研究成果的效用，才具有可检验性。这种方略举措可以是政策性的，也可以是语言产品。

第四，语言生活是研究的归宿地。在语言生活中经过检验的研究成果，还需要回到问题来源处去发挥作用。研究成果付诸应用，又是深入语言生活、发现新问题的过程，也是新研究的新起点。如此循环往复，不断推动研究的发展，推进语言生活的进步。

当然，也需要注意研究成果的学术化、学科化，让研究成果进入人才培养体系。长此以往，可以形成新的学科分支，进而发展为新的分支学科，乃至形成新的学术流派。语言学的很多交叉学科、学术流派，都是在解决社会语言问题中逐渐发展起来的。

六、结　语

中国语言生活研究的 20 年，是有思想有温度的 20 年，也是非常值得总结的 20 年！在这 20 来年里，语言生活研究取得了可圈可点的丰硕成果：

其一，丰富了"语言生活"理念，深入了解了中国乃至世界的语言生活状况，并通过皮书体系、汉语盘点、新闻发布会等及时向社会发布，资政助学惠民。

其二，集中开展了语言生活一些领域的研究与实践，如语言生活、语言舆情的监测研究，语言文字规范标准的制定与维护，语言扶贫和语言助力乡村振兴，语言服务和应急语言服务，语言经济与语言产业发展，大华语与海外华语传承等，促进了多个领域语言生活的进步。

其三，建立了语言生活的研究机构体系、学术期刊方阵和专业学科点，探索了人才培养的多种举措，取得了较好成效。

其四，在学理上提出了构建和谐语言生活、促进社会沟通无障碍、全面开展语言服务、提升语言能力、保护和开发语言资源、发掘弘扬中华语言文明等六大理念，实践了"从语言生活到语言生活"（亦即"从实践中来到实践中去"）的学术研究范式，开创了中国语言生活研究的学术体系和话语体系，并在海外产生了重要的学术影响。

中国语言生活具有中华民族的悠久传统，具有东方的社会文化特色；中国语言生活与时俱进，具有当下的时代特色；中国有悠久的国家治理传统，如何处理语言生活问题具有独特经验和独到之处。对中国语言生活及其治理进行全面深入研究，必定能够在语言规划学领域有所建树。未来的中国语言生活会受到三大因素影响：（1）中华民族共同体意识的铸牢；（2）人类命运共同体的构建；（3）数智时代的发展。中国语言生活研究亦需重视这三大因素，及时对变化中的语言生活进行记录与研究。特别是要推动中文成为世界最有用的语言之一，为人类提供高质量的文化公共产品；要以"向善、向上"的心态促进大语言模型的发展，让中国人都能拥有既会做事、又有良好语言能力的 AI 助手。

参考文献

《陈章太先生纪念文集》编委会　2024　《春风如沐 永不言别——陈章太先生纪念文集》，北京：商务印书馆。

付义荣　2023　《厦门军营村社会及语言生活调查》，《语言战略研究》第 5 期。

郭　熙　2015　《〈中国语言生活状况报告〉十年》，《语言文字应用》第 3 期。

郭　熙，祝晓宏　2016　《语言生活研究十年》，《语言战略研究》第 3 期。

郭　熙　2023a　《我的 20 年华语研究之路》，《中国语言战略》第 1 期。

郭　熙　2023b　《中国语言生活及其研究的新阶段》，《北华大学学报（社会科学版）》第 6 期。

赫　琳　2018　《中国语情年报（2015）》，北京：社会科学文献出版社。

侯　敏，杨尔弘　2015　《中国语言监测研究十年》，《语言文字应用》第 3 期。

李现乐　2018　《语言服务研究的若干问题思考》，《云南师范大学学报（哲学社会科学版）》第 2 期。

李宇明　1997　《语言保护刍议》，载深圳语言研究所《双语双方言（五）》，香港：汉学出版社。

李宇明　2007　《关于〈中国语言生活绿皮书〉》，《语言文字应用》第 1 期。

李宇明　2016a　《语言生活与语言生活研究》，《语言战略研究》第 3 期。

李宇明　2016b　《语言服务与语言产业》，《东方翻译》第 4 期。

李宇明　2019　《语言扶贫问题研究》（第一辑），北京：商务印书馆。

李宇明　2020a　《语言扶贫问题研究》（第二辑），北京：商务印书馆。

李宇明　2020b　《新时期语言文字规范化问题研究》，北京：语文出版社。

李宇明，郭　熙，周洪波　2020　《中国语言生活研究十五年》，https://www.sohu.com/a/430384463_312708。

刘海燕　2024　《日本国立国语研究所成果社会转化机制研究》，北京：中国传媒大学出版社。

罗常培，吕叔湘　1956　《现代汉语规范问题》，载现代汉语规范问题学术会议秘书处《现代汉语规范问题学术会议文件汇编》，北京：科学出版社。

罗天华，邵瑞敏，王　璐，等　2019　《周有光年谱》，杭州：浙江大学出版社。

吕叔湘　1965　《四方谈异》（上），《文字改革》第 7 期。另载吕叔湘《语文常谈》，北京：生活·读书·新知三联书店，2021 年。

眸　子（李宇明）　1997　《语言生活与精神文明》，《语文建设》第 1 期。

邱春安，严修鸿，王　榕　2023　《梅州客家山歌的保护与传承调查研究》，《语言战略研究》第 6 期。

屈哨兵　2016　《语言服务引论》，北京：商务印书馆。

屈哨兵　2020　《中国语言服务发展报告 2020》，北京：商务印书馆。

苏新春，刘　锐　2015　《皮书的语言使用与语言特色》，《语言文字应用》第 3 期。

王铁琨　2010　《基于语言资源理念的语言规划——以"语言资源监测研究"和"中国语言资源有声数据库建设"为例》，《陕西师范大学学报（哲学社会科学版）》第 6 期。

魏　晖　2016　《语言舆情与语言政策探索》，北京：商务印书馆。

邢福义，汪国胜　2012　《全球华语语法研究的基本构想》，《云南师范大学学报（哲学社会科学版）》第 6 期。

殷志平　2024　《宜兴水北村语言实践与社会资本构建》，《语言战略研究》第 6 期。

张　普　2009　《动态语言知识更新研究》，北京：商务印书馆。

赵春燕　2022　《乡村振兴视域下理塘县中扎村的语言生活》，《语言战略研究》第 1 期。

赵世举　2016　《中国语言观测研究的实践及思考》，《语言战略研究》第 3 期。

郑亚豪　2022　《豫东南耕地名称价值与规划研究》，《语言战略研究》第 1 期。

中国语言文字使用情况调查领导小组办公室　2006　《中国语言文字使用情况调查资料》，北京：语文出版社。

周洪波，赵春燕　2024　《民间谱志修编助力乡村文化振兴：竹里村个案》，《语言战略研究》第 6 期。

邹　煜　2015　《家国情怀——语言生活派这十年》，北京：商务印书馆。

责任编辑：魏晓明

本期"语言立法"专题由王春辉组稿；中文摘要由朱剑审稿，英文摘要由李岿、周明朗、赵守辉、阎喜、尚国文译审，方小兵终校英文内容。特此感谢。

语言功能规划视角下的新时代语言立法[*]

张日培

（上海市教育科学研究院／国家语言文字政策研究中心　上海　200032）

提　要　当前，中国语言立法已经取得显著成效，但也还存在系统性不强、可操作性不强、内容有局限等不足。解决这些问题，科学推进新时代语言立法，需要加强语言功能规划研究。语言功能规划是关于多语言多功能的发挥场域、实现路径、关系协调等的规划，强调多语言多功能的有序而充分发挥，为构建语言政策和语言战略体系提供了一个分析框架。语言立法的核心任务是确立语言政策体系，核心功能是为国家实施语言战略提供法律保障。语言功能规划视角下，新时代语言立法应统揽语言生活全局，协调处理好多语言多功能之间的关系，探讨构建国家义务模式；应面向新时代语言文字事业高质量发展的需求，构建涵盖语言规范、语言教育、语言文化建设、语言服务等内容的全面系统的法律制度体系。

关键词　语言规划；语言功能规划；语言立法；语言文字法治建设

中图分类号　H002　**文献标识码**　A　**文章编号**　2096-1014（2025）01-0026-10

DOI　10.19689/j.cnki.cn10-1361/h.20250102

Language Legislation in the New Era: A Linguistic Functional Planning Perspective

Zhang Ripei

Abstract　China's language legislation has made significant strides and notable achievements, though it still faces challenges such as weak systematisation, low feasibility and limited content. To address these issues and scientifically advance language legislation in the new era, it is essential to strengthen research on linguistic functional planning. Linguistic function planning involves the planning of the fields, realisation paths, and coordination of multilingual multifunctionalities. It emphasizes the orderly and comprehensive utilisation of multilingual multifunctionalities and provides an analytical framework for constructing language policy and strategy systems. The core task of language legislation is to establish a comprehensive language policy system, while its primary function is to provide legal guarantees for implementing the national language strategy. From the perspective of linguistic functional planning, language legislation in the new era should oversee the overall situation of language life, coordinate the relationship between multilingual multifunctionalities, explore the construction of a national obligation model, and address the needs for high-quality development in language and writing. It should aim to build a legal system that encompasses language norms, language education, language and cultural construction, and language services.

Keywords　language planning; linguistic functional planning; language legislation; law construction of language issues

---

　　[*]　作者简介：张日培，男，上海市教育科学研究院国家语委国家语言文字政策研究中心副主任，主要研究方向为语言规划。电子邮箱：zhangripei@126.com。

一、引　言

　　加强语言立法对保障语言文字事业高质量发展、促进语言治理现代化，具有重要意义。中国是世界上为数不多的为语言文字专门立法的国家之一，还有一大批法律法规规章等含有关于语言文字内容的条款，在国家和地方两个层面，语言立法都取得了显著成效。不过，对照党的二十届三中全会关于"全面推进国家各方面工作法治化"的要求，以及国家关于新时代语言文字事业的战略部署，中国语言文字法律体系仍需进一步完善，语言立法的力度仍需进一步加大。

　　改革开放以来，尤其是《中华人民共和国国家通用语言文字法》（简称《国家通用语言文字法》）颁布以来，语言立法成为语言规划学界的研究热点，同时也受到了法学界的较多关注。相关研究述介国外语言立法情况，探讨语言法的法源、性质、类型、效力和语言立法的目的、宗旨、原则、模式，并在语言规范、语言权利、语言资源3个价值维度上，对中国语言文字法律体系的建设与完善提出意见建议。如，制定国家通用语言文字行政法规或修订《国家通用语言文字法》以进一步加大国家通用语言文字推广力度，就外国语文、网络语言、名词术语、手语盲文等的使用管理加强立法，在国家层面为少数民族语言文字专门立法，推动语言保护入法，促进语言文字法律关系协调，等等（如周庆生1994，1999，2003；陈章太2002，2010；魏丹2003，2010；王远新2008；黄德宽2010；肖建飞2010；杨解君，杨素珍2016；蒋都都2017；李宇明2017；段泽孝2018；林皓，魏丹，赵蓉晖2018；苏金智2018，2021；王理万2022；等等），呈现了多元的语言立法理念。

　　本文探讨新时代语言立法的理念和任务。新时代语言立法服务于新时代语言文字事业高质量发展的需求。要落实《国务院办公厅关于全面加强新时代语言文字工作的意见》（2020，简称《国办意见》）就国家通用语言文字推广普及、语言文字基础能力建设、国家语言文字服务、中华优秀语言文化传承发展、中文国际地位和影响力提升等提出的政策要求和战略部署，妥善处理好各类语言文字关系和传承中华优秀传统文化与适应现代化建设需求的关系，构建和谐健康语言生活，推进语言文字工作治理体系和治理能力现代化，需要全面系统的法治保障，也需要统合已有研究呈现的多元立法理念。语言立法是重要的语言规划活动，李宇明（2008）提出的"语言功能规划"概念，和这之后关于语言规划的本质是促进语言更好发挥其在社会生活中的功能的系列思考（李宇明2015；李宇明，王春辉2019；李宇明2022；等等），为统合多元立法理念提供了一个富有解释力的理论视角。本文尝试对"语言功能规划"进行进一步阐发，从多语言多功能的发挥场域、实现路径、关系协调等角度，将"语言功能规划"作为新时代中国语言政策和语言战略体系的建构逻辑，以及新时代语言立法理念的建构逻辑，针对目前中国语言立法的不足，探讨构建新时代语言立法任务体系。

二、中国的语言立法现状

　　当前中国的语言立法，涉及国家通用语言文字、少数民族语言文字、外国语文、手语盲文等各类语言现象，覆盖宪法、法律、法规、规章等各个法律层级，内容基本涵盖了语言立法的目的宗旨。

（一）语言立法的层级分布

1.宪法

　　《中华人民共和国宪法》（简称《宪法》。以下述及中国法律，均用简称）对语言问题做出基本规定，包括"国家推广全国通用的普通话"和"各民族都有使用和发展自己的语言文字的自由"，以及关于民族自治地方行政、司法领域少数民族语言文字使用权利的规定。

2. 法律

中国有语言文字专门法律《国家通用语言文字法》，由全国人大常委会制定。同时，《民族区域自治法》《教育法》《刑事诉讼法》《民事诉讼法》《行政诉讼法》《香港特别行政区基本法》《澳门特别行政区基本法》等由全国人大制定的基本法律，以及《公共文化服务保障法》《非物质文化遗产法》《旅游法》等由全国人大常委会制定的法律中，含有语言文字条款。

3. 行政法规

由国务院制定的行政法规中，没有专门的语言立法，但《地名管理条例》《出版管理条例》《广播电视管理条例》《无障碍环境建设条例》等一批行政法规含有语言文字条款。

4. 地方性法规和自治条例、单行条例

具有立法权限的地方人大及其常委会制定的地方性法规和自治条例、单行条例中，有一批专门的语言立法。如，22 个省级和 1 个副省级行政区域颁布了贯彻实施《国家通用语言文字法》的地方法规，3 个省区和 10 多个州县级民族自治区域颁布了少数民族语言文字地方法规或单行条例，新疆颁布了关于国家通用语言文字和少数民族语言文字的综合性地方法规，北京、广州颁布了关于外国语文的地方法规。此外，一大批其他地方法规、自治条例、单行条例等含有语言文字条款。

5. 部门规章

由国务院各部委和有关机构制定的部门规章中，专门的语言立法主要有教育部规章《信息技术产品国家通用语言文字使用管理规定》《普通话水平测试管理规定》《汉语作为外语教学能力认定办法》等。同时，《幼儿园管理规程》《小学管理规程》《网络出版服务管理规定》等一大批部门规章含有语言文字条款。

6. 地方政府规章

具有立法权限的地方政府制定的规章中，有一批专门的语言立法。如，7 个省级和 2 个副省级行政区域颁布了贯彻实施《国家通用语言文字法》的地方政府规章，南宁等地颁布了关于民族语文的地方政府规章，上海、海南、成都、珠海等地颁布了关于外国语文的地方政府规章。此外，一大批其他地方政府规章含有语言文字条款。

7. 行政规范性文件

除法规规章外，行政机关及有关组织制定的具有普遍约束力、在一定期限内反复适用的行政规范性文件虽然不具有法律渊源性质和地位，但客观上具有法规范的功能，因此，该层级也纳入本文考察范围。从国务院及其组成部门到地方政府及其组成部门，专门就语言文字问题制定的规范性文件，和包含有语言文字条款或内容的规范性文件，数量达数千之巨。[①]

（二）语言立法的目的宗旨

语言立法的目的宗旨主要包括确定官方语言和标准语及其使用范围，确立语言平等政策，规定不同语言之间的关系，保障公民语言权利，规定特定行业人员语言能力，促进语言文字规范化标准化及健康发展，等等（陈章太 2002；苏金智 2018）。

---

① 本部分有关数据基于"中国法律检索系统"（北大法宝）检索"现行有效"的法律文件而得，检索时间为 2024 年 6 月。

当前国家和地方两个层面的语言文字专门立法，确立普通话和规范汉字作为国家通用语言文字的法律地位，规定国家通用语言文字的使用范围和使用要求，明确各民族都有使用和发展自己语言文字的自由，保障行政、司法、教育等领域公民的语言权利，促进语言文字规范化标准化信息化建设，规定有关行业人员的语言能力要求，基本涵盖了语言立法的目的宗旨。此外，教育、人社等部门的专门立法（主要是行政规范性文件）还涉及外语教育、职称外语考试、国家通用手语盲文推广等。地方层面的专门立法还涉及国际交往语言环境建设。如上海于 2014 年制定颁布了旨在规范公共场所外文译写的地方政府规章《公共场所外国文字使用规定》，之后北京、海南、贵阳、福州、成都等地先后制定颁布政府规章或行政规范性文件《公共场所外语标识管理规定》，2021 年北京又颁布《国际交往语言环境建设条例》，在促进外文译写规范的基础上，进一步强化外语服务。

同时，多领域的非专门立法在重申或细化《宪法》《国家通用语言文字法》有关规定的同时，进一步涉及以下内容：（1）强调中文相对于外国语文的主体地位。如教育部、商务部、财政部、交通运输部、自然资源部、广电总局、税务总局、市场监管总局、国家认证认可监管委、国家食药监局、国家药监局、中国人民银行、证监会、银监会等在相关部门规章或规范性文件中，规定：司法书证、行政票据、公告信息、产品命名和包装等应当使用中文，中文版本和外文版本有歧义时以中文版本为准，外文版本应当附有由具有翻译资质的机构翻译的中文版本，有关机构和有关人员履行职务以中文为工作语言，鼓励来华外国留学生用中文撰写学位论文，等等。（2）规定行业人员外语能力。如交通运输部关于行业从业人员执业和培训的系列文件涉及外语能力要求，财政部、体育总局等相关文件对有关人员的外语能力做出规定。（3）促进语言文字内容规范和用语文明。如《广告法》《出版管理条例》《广播电视管理条例》《互联网信息服务管理办法》《网络出版服务管理规定》《医疗器械通用名称命名规则》《政府制定价格听证办法》《体育赛事活动管理办法》《未成年人法律援助服务指引》等一系列法规规章和规范性文件都规定了用语方面的禁止性内容。（4）强化涉及外国语文、手语盲文等的公共语言服务。相关条款规定主要见于司法诉讼、残疾人权益保障、无障碍环境建设、文化旅游、应急管理、自贸区建设、政务服务等领域的法律法规规章及行政规范性文件。

（三）主要不足

一是系统性不强。沿着《宪法》语言文字条款内容的两条路径并行的国家通用语言文字立法和少数民族语言文字立法之间，以及所形成的"语言规范管理模式"和"语言权利保障模式"之间（蒋都都 2017），协调性不够，甚至有冲突，国家通用语言文字"全国通用通行"的性质地位在民族自治区域的相关地方立法中尚未得到应有体现。外国语文立法、手语盲文立法碎片化问题突出，对外国语文和手语盲文在社会语言生活中的地位、功能，及其与国家通用语言文字、少数民族语言文字的关系处理，尚缺乏高位阶的顶层性法律政策规定。此外，苏金智（2021）还指出："大陆语言文字法律体系没有充分考虑到台港澳的相关情况。"

二是可操作性不强。一方面，有的法条太过笼统，语用场景不具体、语用要求不甚明确；有的法条要求执法者应具备语言文字专业能力。另一方面，对违法行为的处罚力度不够，"没有牙齿"；有些较特殊的语用场景的执法主体不明确。这些，都使得语言文字执法面临较大困难。

三是内容有局限。对照《国办意见》的内容和要求，现有国家层面的专门语言立法，主要聚焦"国家通用语言文字的推广普及和规范使用"，对于语用文明管理、语言资源科学保护、语言文化传承发展和传播弘扬、语言服务供给与能力提升等重要工作任务，只是在非专门立法、低位阶立法中碎片化地有所涉及，需要更高位阶的专门立法予以确认和统筹。落实《国办意见》关于"将国家通用语言文字推广普及、语言文字规范化标准化信息化建设、民族语文教育、语言资源保护利用、外语教育、国际中文教育、语言人才培养等统一规划、统一部署"的要求，回应《国家通用语言文字法》颁布以来学界关于语言保护立法、外国语文和网络语言规范管理立法、科技名词规范立法、手语盲文规范化标准化建设立法等的呼吁，新时代语言立法的空间十分广阔。

三、语言功能规划

语言立法是重要的语言规划活动。在"以中国式现代化全面推进强国建设、民族复兴伟业"的新时代语境中，"语言功能规划"对语言文字如何助力强国建设、如何构建强国建设背景下的语言战略体系等，具有重要的理论价值和现实意义。

（一）语言功能规划的内涵

李宇明（2008）提出语言功能规划时，协调多语言多方言之间的关系，消除语言冲突、减缓语言矛盾是语言规划的重大关切。因此，语言功能规划的任务主要是"规划各功能层次的语言作用，或者说是规划各语言现象在各功能层次的价值与作用"。随着认识的不断深入，特别是认识到语言规划的根本目的是促进语言文字发挥好应有功能，"语言规划学的实质是关于语言功能的学问"（李宇明2022），本文将"语言功能规划"的内涵界定为："促进多语社会中的多语言（及其变体）发挥好多方面功能，且使不同语言（及其变体）的同一功能之间以及同一语言（及其变体）的不同功能之间彼此协调而不冲突，进而朝着语言规划者所期望的方向，有序而充分地发挥作为一个整体的语言的功能的规划。主要规划不同使用域中不同语言（及其变体）应发挥什么固有功能，或者说不同语言（及其变体）的不同固有功能分别在什么场域发挥、通过什么路径实现。"根据这一界定，语言功能规划主要有 3 个特点。

其一，关注语言的多方面功能。语言的功能通常区分为"工具功能"和"文化功能"两大范畴，也有学者区分为"具体交际功能"和"宏观社会功能"两个层次，《国办意见》则要求"充分发挥语言文字的政治、社会、文化、育人和对外交流功能"。传统语言规划侧重关注语言的工具功能，语言功能规划关注语言的各方面功能。

其二，关注社会生活中实际使用的所有语言及其变体。面对多语言多方言带来的问题，传统语言规划侧重关注通用语的选择、标准语的培育与建设，强调通用语各方面功能的充分发挥，语言功能规划则关注社会生活中所有语言及其变体的各方面功能的发挥。

其三，强调语言功能的整体发挥。共时的不同语言的不同功能互相交织，矛盾具有必然性、绝对性。比如，同一种语言的工具功能和文化功能之间，彼此具有张力，但都不可或缺，是语言之所以为语言的"一体两面"。又比如，同样要发挥交际功能，在同一个言语社区中，不同语言和方言之间存在竞争关系。统筹协调多语言多功能之间的关系，正视矛盾、避免冲突，进而朝着语言规划者所期望的方向，有序而充分地发挥作为一个整体的语言的功能，是语言功能规划的重要任务。

（二）语言功能规划的思想渊源

语言功能规划的思想渊源是语言生活观。语言生活是从语言规划的角度进行观察、研究和治理的社会生活，是"运用、学习和研究语言文字、语言知识和语言技术的各种活动"（李宇明2016）。语言规划的生活观，或者说是"语言生活观"，强调语言规划要有"生活"的理念，要在生活中研究语言、规划语言，要从解决语言沟通问题、维护发展语言文化多样性、建设保护语言资源、保障公民语言权利、发展公民多语言能力、传承传播民族语言文化等角度来看待、把握、研究社会生活，并根据这些价值目标对社会生活进行规划和治理。语言功能规划的全局性、系统性、实践性等特点，集中而具体地体现了语言生活观。

（三）语言功能规划的实践镜像

新世纪以来，特别是新时代以来，中国语言文字事业在"三大任务"（简化汉字、推广普通话、制订推行《汉语拼音方案》）和语言文字规范化标准化信息化建设的基础上，有了格局性的发展，开创性推进了一系列增量工作，包括加强多样性语言资源的科学保护、促进中华优秀语言文化的传承发展与传播弘扬、推动语言助力脱贫攻坚、制定公共服务领域的外文译写规范和面向视听障碍人士的手语盲文标准、开展应急语言服务、探讨语言与国家的关系、促进国家语言能力的提升等。这一巨大发展的背后逻辑，正是语言功能规划所主张的"多语言的多方面功能的有序而充分发挥"。

四、新时代语言立法理念

语言立法的理念、模式等的选择与确定是语言规划思想的集中体现。当前中国语言立法存在的问题，一定程度上可以归因于语言功能规划研究的不足。新时代语言立法要为语言文字事业提供全面系统的法治保障，应以语言功能规划背后的语言规划思想为理念，坚持全局性、系统性、实践性，统揽语言生活全局，协调处理好多语言多功能之间的关系，探讨构建语言立法的国家义务模式。

（一）统揽语言生活全局

统揽语言生活全局，是语言功能规划的逻辑起点。新时代语言立法只有统揽语言生活全局，才能为落实《国办意见》的战略部署、推动新时代语言文字事业高质量发展提供全面系统的法治保障。

1.统揽语言全局

中国不仅自身语言资源丰富，对外国语文的使用也伴随着全球化进程的推进而大量增加。新时代语言立法应对中国社会生活中实际使用的所有语言及其变体，包括国家通用语言文字、少数民族语言文字、汉语方言、繁体异体字和《通用规范汉字表》的表外汉字、外国语文、手语盲文等的学习、使用等，全面、系统、具体地做出法律规定。

2.统揽语言功能全局

新时代语言立法，应深入分析语言作为交际工具、信息载体、意识载体、文化载体、劳动资料的根本属性，深入探讨语言对意识、认同、文化、制度等的建构原理，进而在政治、经济、文化、社会、生态"五位一体"总体布局中，全面认识和把握语言对保障政令畅通、促进人员流动和信息流通、推动生产力提升的重要作用，对促进国家整合、构筑民族认同、提升社会治理、促进文化传承和人类文明交流互鉴的功能机理。针对语言的功能机理，就如何使语言更好发挥好固有功能做出法律制度设计。

3.统揽语言文字事业发展全局

《国办意见》规划的新时代语言文字事业，不仅仅是国家通用语言文字事业，而是包括少数民族语文事业、语文和外语教育事业、国际中文教育事业等在内的，以促进语言功能整体发挥为根本逻辑的，统合语言推广、语言规范、语言服务、语言传播、语言文化传承、语言能力建设等的一个整体。新时代语言立法，应立足这个全局，确定任务和内容。应统筹《宪法》语言文字条款内容的两条路径，统筹实用主义和多元文化主义立法取向，统筹"语用规范管理"和"语言权利保障"立法模式，统筹语言使用者的语言权利和语言义务，统筹自然人、法人和政府在语言文字方面的法律义务，统筹语言本体和语言使用，统筹语言和语言使用者（除了人，还包括作为语言使用者的机器），统筹语言文字专门立法和非专门立法、国家立法和地方立法，为语言文字事业科学发展、高质量发展，做出系统性的法律制度设计。

（二）协调处理好多语言多功能之间的关系

协调处理语言关系是语言立法的基本宗旨，其目标是构建和谐语言生活。和谐语言生活是多语多言社区中的各个语言及其变体分别在不同场域或在同一场域的不同语用层次发挥功能，社会多元语言意识不冲突不对抗、良性互动，多样化语言需求得到较好满足的社会生活状态。构建和谐语言生活是语言功能规划提出的初衷，"通过合理的语言功能规划可以使各种语言现象各安其位，各得其用，各展其长，构建起多种语言现象互补共生、和谐相处的'多言多语'生活"（李宇明 2008）。语言功能规划在理念上超越了"语言地位规划"，凸显了"地位无高低，功能有主次"，更好地契合了"确立语言平等政策"的语言立法宗旨；在实践上，则是"从语言生活的角度进行的更为缜密、操作性更强的语言规划"（李宇明 2008），为语言立法科学处理语言关系提供了方法路径。语言功能规划视角下，协调处理多语言多功能之间的关系，有两条路径。

1.确定不同语言及其变体的多功能实现路径

推动"多语言多功能的有序而充分发挥"，需要面向当前中国社会生活中实际使用的所有语言文字及其变体，逐一规划其多方面功能的实现路径。本文尝试探讨如下（见表1）。

表 1　语言功能的实现路径

语言及其变体	多功能实现路径
国家通用语言文字	推广使用、教育普及、规范使用、国际传播，本体建设（规范化标准化信息化，下同），传承发展所承载的中华文化
传统通用少数民族语言文字	本体建设、科学保护（调查记录）、提供服务，尊重和保障学习使用，作为文化要素传承（专业学习）、传承发展所承载的中华文化
其他少数民族语言	科学保护（调查记录）、提供服务，尊重和保障学习使用，作为文化要素传承（专业学习）、传承发展所承载的中华文化
汉语方言	科学保护（调查记录）、与普通话分层使用，提供服务，作为文化要素传承（专业学习）、传承发展所承载的中华文化
繁体异体字和表外汉字	系统整理、与规范汉字分层使用、提供服务，作为文化要素传承（专业学习）、传承发展所承载的中华文化
外国语言文字	开展外语教育、提高外语能力，提供外语服务，促进外语使用规范
国家通用手语	在全国聋人群体中推广使用、教育普及、规范使用，本体建设，提供服务，非聋人的专业学习
地方手语变体	调查记录，与国家通用手语分层使用
国家通用盲文	在全国盲人群体中推广使用、教育普及、规范使用，本体建设，提供服务、设置设施，非盲人的专业学习

2.处理好国家通用语言文字与其他语言文字的关系

语言关系的协调处理集中在多语言及其变体的习用方面。共时状态下，多语言及其变体之间必然存在竞争关系（手语盲文由于针对特定人群而与其他语言及其变体基本不存在竞争关系，但国家通用手语和地方手语变体之间仍有竞争）。语言立法在确定通用语（官方语言、标准语）的同时，核心就是处理好与其他语言或语言变体之间的关系。《国家通用语言文字法》具体规定了国家通用语言文字与汉语方言、繁体异体字之间的关系，但在国家通用语言文字与少数民族语言文字、外国语文之间的关系处理方面，不甚具体和明确。周庆生（2013）以"主体多样"概括国家通用语言文字和少数民族语言文字之间的关系，李宇明（2008）、张日培（2009）曾尝试以公共性为标准区分语用层次，规划不同层次上各语言及其变体之间的关系。新时代语言立法，应以不同场域国家通用语言文字的唯一性（如对外代表国家的场合）、优先性（如司法、行政、教育、新闻宣传及政府提供的公共服务领域等）、必备性（如一般场合或场所中指示导引性的公共信息标牌）、选择性（如市场服务领域的名称牌、商业广告等）要求为层次区分，进一步细化国家通用语言文字使用的规范要求。应进一步区分"公共服务"和"市场服务"、语言景观中的名称标牌（包括商业广告牌）和公共信息标牌、官方媒体和自媒体等中的语用性质和语言政策象征意味，做出有区别的法律规定。这也是解决语言法操作性不强问题的必由之路（张日培2024）。

（三）构建语言立法的国家义务模式

语言功能规划所主张的"多语言的多方面功能的有序而充分发挥"，不仅需要规范公民的语言文字"学习、使用"等行为，更需要政府部门履行"建设、促进"等职责。在国家通用语言文字推广普及和规范使用、少数民族语言文字权利保障基础上，需要将中华语言文化传承发展和对外传播、公共语言服务供给和数智化基础语言设施建设、语言人才培养、国家语言能力提升等，确立为国家的法律义务。尽管"语用规范管理"和"语言权利保障"两种模式都涉及对相关国家义务、政府部门责任的规定，但面对新时代语言文字事业的格局性变化，有必要进一步探讨"国家义务模式"，不仅规定政府各相关部门在语言规范管理和语言权利保障中的行政责任，更要规定政府各相关部门在"促进语言建设"方面的法律义务，为构建语言文字现代治理体系、促进语言文字治理能力现代化，夯实法治基础，提供法治保障。

五、新时代语言立法任务

落实语言功能规划构想，推动"多语言的多方面功能的有序而充分发挥"，新时代语言立法应面向新时代语言文字事业科学发展、高质量发展的需求，构建涵盖语言规范、语言教育、语言服务、语言文化建设等内容的法律制度体系。

（一）进一步强化国家通用语言文字的主体地位

通过《国家通用语言文字法》修订等，进一步明确国家通用语言文字的内涵、性质，从"通行共用"的角度，强化国家通用语言文字在全国范围（包括民族地区和港澳台地区）通行的地位和跨地区、跨民族交际交流的功能。在保障国家通用语言文字学习使用权利的基础上，进一步将"学习国家通用语言文字"确立为国家义务或公民义务。进一步强化全国各地区法律、行政、教育、官方媒体等高语用层次中国家通用语言文字使用的优先性要求。在规定学校及其他教育机构教学用语和通过语文课教学国家通用语言文字的基础上，进一步强调"义务教育应当教授普通话、规范汉字和汉语拼音"，压实义务教育阶段，特别是民族地区中小学依法开展国家通用语言文字教学的法律责任。

（二）进一步完善语言教育、科技、人才协同推进的法律制度体系

将构建大中小衔接的国家通用语言文字教育教学体系、鼓励加强相关科学研究和教材研发，确立为国家义务。就民族语言教育的模式做出全国统一的法律制度安排。明确外语教育、手语盲文教育等的法律地位。进一步强化相关行业人员的国家通用语言文字能力要求，完善能力测评和持证上岗等法律措施，同时就各类各语言水平测试做出统一的管理制度设计。明确促进语言科技、语言信息技术发

展的国家义务，确立促进、扶持语言文字信息技术产业发展的政策与制度。确立语言与信息科技、语言与中华文化传承、语言与全球治理、语言与健康等交叉领域专业人才培养和学科建设制度体系。

（三）进一步完善语言文字规范治理的法律制度体系

重点是将现行促进语言文字规范的实践举措进一步制度化、法治化。如，通过加强立法，明确"国家语委语言文字规范"的行业标准地位，确立等效采用国际标准为国家标准时的语言政策符合性审查制度，进一步完善语言文字使用、新词新语、外语词、网络语言等的监测通报制度，进一步强化科技名词审定制度，进一步明确地名语言文字使用的规范要求，等等。特别是要通过加强立法，构建语言文字部门提供语言文字专业支持和加强语言文字使用监督监测，出版、网信、市场管理等行业主管部门开展执法管理的语言文字规范及语用文明治理制度体系。

（四）构建语言文化传承传播的法律制度体系

明确各级政府及其有关部门通过调查、记录、数字化建设等科学保护语言资源的法律责任。确立语言及语言使用状况的国情调查法律制度。完善语言文化类非遗保护制度，将建设展示性、体验性语言文化设施，支持相关科学研究和出版传播等，确立为各级政府及其有关部门的法律责任。推动国际中文教育师资、教材、水平认证等管理制度法治化。

（五）构建语言服务法律制度体系

规定公共语言服务的类型、途径、方式。确立语言翻译、语言出版、语言培训等行业产业的监督管理和服务指导制度，加强对语言产业行业经营行为语言政策符合性的监督检查。确立国家应急语言服务制度。明确国家通用手语和国家通用盲文的法律地位。确立对视听障碍、不通国家通用语言文字的各族群众、不懂中文的外国人等特定人群的语言服务制度。从社会融入的角度确立、细化移民语言政策和制度。以"人"为对象、而非以"语"为对象，进一步完善公民语言权利保障的法律制度体系。

六、结　语

加强语言功能规划研究不仅是新时代语言立法的基础和依据，而且是促进新时代语言立法的策源与动力。语言立法要落实语言功能规划构想，是一个长期的、渐进的过程。立法具有滞后性，很多内容需要一个"先政策后法律"的自下而上的过程。同时，也需要自上而下的规划和推动，特别是应在《国家通用语言文字法》基础上，制定内容更为全面的、综合性的《语言文字法》，并作为效力位阶更高的"基本法律"，就相关问题做出原则性规定后，引领政策实践和各层级的立法实践，从而构建起与语言功能规划构想相匹配的全面系统的语言文字法律体系。只有制定内容更为全面的、综合性的《语言文字法》，才能在法理逻辑上确立国家通用语言文字、汉语方言和繁体字异体字、少数民族语言文字、境内使用的外国语言文字、手语盲文等在国家语言生活中的不同法律地位，平衡好主权统一性和文化多样性的关系、语言文字现代化和中华优秀语言文化传承发展的关系、语言主权与语言服务的关系、语言规范与语言发展的关系；才能从根本上解决不同法律之间、国家立法和地方立法之间已经或可能产生的冲突问题；才能以"不必分别专门立法"的结论一揽子回应多年来各界关于为少数民族语言文字、汉语方言、手语盲文等专门立法，针对网络语言和外国语言文字使用专门立法，就科技名词规范专门立法等的意见建议；才能更有利于国家语委（教育部）抓总，全面系统地贯彻执行党和国家的语言文字方针政策和《宪法》规定的国家语言文字制度。制定综合性的《语言文字法》本是中国语言立法的初心，后来由于各方面原因而搁置，转而制定《国家通用语言文字法》（魏丹 2003）。

应该说，当时的历史条件还不成熟，而在地方语言立法应当合宪取得共识、外语立法积累一定实践经验、手语盲文立法具备本体研究方面相当基础、新时代国家语言文字事业高质量发展提出迫切需求等各方面条件较好的当下，应该是制定《语言文字法》的最好时机。

参考文献

陈章太　2002　《说语言立法》，《语言文字应用》第 4 期。

陈章太　2010　《新中国的语言政策、语言立法与语言规划》，《国际汉语教育》第 3 期。

段泽孝　2018　《传统文化视域下方言保护的法律限度及其治理——基于对我国台湾地区相关"立法"的借鉴与反思》，《求索》第 3 期。

黄德宽　2010　《〈国家通用语言文字法〉的"软法"属性》，《语言文字应用》第 3 期。

蒋都都　2017　《构筑语言文字立法的基本权利模式》，《法治论坛》第 3 期。

李宇明　2008　《语言功能规划刍议》，《语言文字应用》第 1 期。

李宇明　2015　《语言规划学的学科构想》，《语言规划学研究》第 1 期。

李宇明　2016　《语言生活与语言生活研究》，《语言战略研究》第 3 期。

李宇明　2017　《术语规范与术语立法》，《中国科技术语》第 1 期。

李宇明　2022　《语言规划学说略》，《辞书研究》第 1 期。

李宇明，王春辉　2019　《论语言的功能分类》，《当代语言学》第 1 期。

林　皓，魏　丹，赵蓉晖　2018　《手语立法的国际比较研究》，《语言文字应用》第 2 期。

苏金智　2018　《从语言立法宗旨和功能看中国语言立法》，《语言文字应用》第 3 期。

苏金智　2021　《中国语言文字法治建设的现状、问题和任务》，《语言与法律研究》第 2 期。

王理万　2022　《国家通用语言文字制度的宪法逻辑——以铸牢中华民族共同体意识为视角》，《中南民族大学学报（人文社会科学版）》第 3 期。

王远新　2008　《我国少数民族语言文字立法的必要性》，《民族翻译》第 1 期。

魏　丹　2003　《语言文字立法过程中提出的一些问题及其思考》，《语文研究》第 1 期。

魏　丹　2010　《语言文字法制建设——我国语言规划的重要实践》，《北华大学学报（社会科学版）》第 3 期。

肖建飞　2010　《语言权利产生的背景及其法定化》，《法制与社会发展》第 1 期。

杨解君，杨素珍　2016　《网络语言文字及其法律化治理》，《广东行政学院学报》第 2 期。

张日培　2009　《治理理论视角下的语言规划——对"和谐语言生活"建设中政府作为的思考》，《语言文字应用》第 3 期。

张日培　2024　《〈中华人民共和国国家通用语言文字法〉的贯彻实施与修订》，载国家语言文字工作委员会《中国语言生活状况报告（2024）》，北京：商务印书馆。

周庆生　1994　《语言立法在加拿大》，《语文建设》第 4 期。

周庆生　1999　《魁北克与爱沙尼亚语言立法比较》，《外国法译评》第 1 期。

周庆生　2003　《国外语言立法概述》，载周庆生，王洁，苏金智《语言与法律研究的新视野》，北京：法律出版社。

周庆生　2013　《中国"主体多样"语言政策的发展》，《新疆师范大学学报（哲学社会科学版）》第 2 期。

责任编辑：韩　畅

《国家通用语言文字法》研究的回顾与思考[*]

张振达

（教育部　语言文字应用研究所　北京　100010）

提　要　《国家通用语言文字法》是中国语言生活依法治理的基础。该法自公布、施行至今25年，对该法的研究可分为法律解读、"良法"讨论、"善治"转向3个时期，呈现语言研究和法律研究两类视角。学界对该法的角色地位、主要功能、对象范围、特点原则等达成了基本共识，在以下方面则尚存争论："国家通用语言文字"的概念及界定，汉语拼音的地位性质与使用范围，语言权利和义务，"软法"属性，"非通用语言文字"立法，外国语言文字的使用及其规范。面对新时代语言文字法治建设要求，需要在以下方面做好《国家通用语言文字法》的修订工作：（1）科学研判，深究法理依据；（2）与时俱进，修订法律规定；（3）系统落地，对接执法司法；（4）共享共治，增强法治意识。

关键词　《国家通用语言文字法》；语言文字法治建设；语言立法；语言规划

中图分类号　H002　**文献标识码**　A　**文章编号**　2096-1014（2025）01-0036-08

DOI　10.19689/j.cnki.cn10-1361/h.20250103

A Review and Reflection on the *Law of the People's Republic of China on the Standard Spoken and Written Chinese Language*

Zhang Zhenda

Abstract　The *Law of the People's Republic of China on the Standard Spoken and Written Chinese Language* serves as the fundamental framework of the legal governance of language use in China. Since its promulgation and implementation 25 years ago, research on this law can be categorized into three distinct periods: legal interpretation, "good law（良法）" discussion, and a shift towards "good governance（善治）". These studies reflect two main perspectives: linguistic research and legal research. The academia in China has largely reached a consensus on the law's role, primary functions, scope of application, characteristics, and principles. However, debates remain on the following aspects: the conceptualization and definition of "national common language and script", the status. nature and usage scope of *Hanyu Pinyin*, language rights and obligations, the nature of "soft law", legislation for non-common languages and writing systems, and the use and regulation of foreign languages. Considering the new requirements for the legal governance of language of the new era, the article suggests the following key areas for revisions to the law: (1) Conducting thorough scientific analysis and in-depth exploration of the legal basis; (2) Updating legal provisions in line with contemporary developments; (3) Ensuring systematic implementation and alignment with enforcement and judiciary processes; (4) Promoting shared governance and enhance legal awareness.

Keywords　the *Law of the People's Republic of China on the Standard Spoken and Written Chinese Language*; legal governance of language use; language legislation; language planning

---

*　作者简介：张振达，男，教育部语言文字应用研究所助理研究员，主要研究方向为社会语言学、语言政策与语言规划、汉语拼音史。电子邮箱：lcxl8@163.com。

一、引　言

《中华人民共和国国家通用语言文字法》（以下简称《国家通用语言文字法》）2001 年 1 月 1 日起施行，是中国正式步入语言文字法治阶段的标志。时至今日，中国已经基本构建起以《国家通用语言文字法》和国家通用语言文字制度为主体的多层级构成、多主体参与的语言文字法制体系，迈入了语言文字法治建设新阶段（干春辉 2020；张日培 2020；李宇明 2021）。

语言生活是动态发展的，法律也要与时俱进。2024 年，《国家通用语言文字法》正式列入全国人大常委会年度立法工作计划，修订工作也步入了最后阶段。考虑到《国家通用语言文字法》的重要地位和修订需要，以及新时代全面依法治国、教育强国战略的新要求，有必要专项梳理对《国家通用语言文字法》的研究，概括研究发展、共识争议、学理法理，分析定位新时代语言文字法治建设重点难点，为该法的修订提供学术参考，助推语言生活依法治理现代化。

二、《国家通用语言文字法》研究概况

学界和社会跟踪关注这部法律对语言生活的影响，实时讨论语言生活中不断涌现的语言文字法治新问题和新需求，形成了对《国家通用语言文字法》的持续性研究。

（一）《国家通用语言文字法》研究的分期

20 世纪八九十年代，中国学者就已经开始关注国内外的语言立法问题，如邱质朴（1981）、戴昭铭（1992）、王铁昆（1995）、周庆生（1999）等，其中，戴昭铭（1992）较早提出了《中国语言文字法》的概念。2000 年，学界开始探讨《国家通用语言文字法》的必要性、重要性和实施问题，《国家通用语言文字法》研究正式起步。本文对 2000～2024 年《国家通用语言文字法》的 841 项相关文献进行定量和质性分析[①]发现：根据研究核心议题的变化，参照国家从语言文字法制化向法治化建设发展的历程，可将相关研究大致分为法律解读、"良法"讨论、"善治"转向 3 个时期。

1. 普法解释，说明基本问题（2000～2004 年）

该阶段研究以《国家通用语言文字法》的公布、施行为契机，重点解读法律内容及贯彻落实的一些基本问题，带有"普法"的性质和目的。《国家通用语言文字法》正式公布前，学界和社会就开始说明这部法律的必要性和重要性（方兴 2000）。该法正式施行之后，相关研究集中对其背景、地位、意义、目的、内容、特色、功能、缺憾等基本问题予以解读（仲哲明，等 2001；李宇明 2001）；部分研究甚至具体至领域、区域，探讨《国家通用语言文字法》的发布对于教育、出版、国际传播等领域以及民族地区、港澳地区语言文字生活的意义和影响（道布 2001；林穗芳 2001；程祥徽 2001；李宝贵 2004）。

2. 聚焦修订，讨论"良法"建设（2005～2014 年）

2005 年前后，学界和社会开始讨论《国家通用语言文字法》的修订问题，但鉴于语言的动态发展规律和法律的稳定性要求，在当时并不建议启动修法程序。[②]2012 年，《国家中长期语言文字事业改革

---

①　以"《国家通用语言文字法》"作为检索词，在中国知网、Google Scholar 等国内外学术文献数据库检索得到核心相关的中外文期刊论文、学位论文、报刊评论、报告讲话等 828 篇，谈及《国家通用语言文字法》的学术专著、论文集等 13 部。

②　参见：http://www.npc.gov.cn/zgrdw/wxzl/gongbao/2008-02/23/content_1462404.htm。

和发展规划纲要》正式提出"研究修订《国家通用语言文字法》"。学界开始集中讨论《国家通用语言文字法》的不足及其修订问题：（1）法律术语、概念的界定和统一；（2）国家通用语言文字与民族语言文字、方言、外国语言文字的关系；（3）实施办法、法律法规、规范标准配套建设和重点领域语言立法；（4）机构责任、宣传推广、执法力度等实施机制方面的缺陷等（黄行 2010；魏丹 2010；冯军 2010；陈章太，谢俊英 2012；黄德宽 2010，2012）。

3. 融合治理，明确"善治"转向（2015 年至今）

2015 年，学界提出"推动'语言依法治理'为重要特征的'语言治理现代化'"的重要命题（郭龙生 2015；张日培 2015）。2016 年起，国家政策文件中开始明确提出健全语言文字依法管理和依法监督机制的法治建设要求。《国家通用语言文字法》研究也呈现"善治"转向：一方面，深化研究《国家通用语言文字法》的修订和法理依据、语言文字法制体系建设；另一方面，结合语言治理、国家治理，探讨《国家通用语言文字法》法治功能，重视整个社会语言文字主权意识、法治意识、法治思维的培养（任颖 2017；蒋昌忠 2019；陆平辉 2021；袁钟瑞 2022；杨解君，庄汉 2022）。其中，尤其关注《国家通用语言文字法》在保障社会交际无障碍、语言资源保护和文化传承、民族地区国家通用语言文字推广普及和民族群体语言权利、两岸语言文字关系和谐等方面开展的法治实践、发挥的法治作用、体现的法治逻辑（李旭练 2015；南杰·隆英强 2019；邹阳阳 2021；杨为乔 2023）。

（二）《国家通用语言文字法》研究的两类视角

《国家通用语言文字法》研究具有比较明显的语言学、法学交叉的特点，呈现语言研究和法律研究两类视角。

1. 语言研究视角

在语言研究者看来，《国家通用语言文字法》的制定是中国语言立法、语言规范化标准化的具体体现，是中国语言规划的重要实践，是对语言生活的人工干预和法律调节（陈章太 2002；李宇明 2011；尤陈俊 2021）。是否符合语言发展规律、是否符合语言生活事实、是否贯彻了国家基本语言文字政策、是否促进充分发挥语言文字的社会作用、是否有力保障语言生活和谐等，是说明和解释《国家通用语言文字法》宗旨、功能、原则、性质、特点、成效、影响的重要内容和依据，也是评价《国家通用语言文字法》能否满足"良法善治"要求的重要标准（王铁琨 2003；黄德宽 2012；陆平辉 2021；沈骑，赵丹 2022）。

2. 法律研究视角

结合法学、法律语言学，评判《国家通用语言文字法》在立法技术、法理依据和司法执法制度层面的规范性、科学性、合理性和操作性，重点探讨以下问题：（1）立法语言规范；（2）法律规定的自洽与他洽；（3）《国家通用语言文字法》中具体规定的法理依据；（4）语言文字法的司法解释；（5）体现的法律精神；（6）法律性质判定和强度调整的依据等（杨涛 2007；黄德宽 2010；关彦庆，张桂元 2011；黄震云，等 2014；王理万 2022）。

从《国家通用语言文字法》研究的发展趋势来看，上述两种研究视角交叉融合的倾向日益明显。

三、关于《国家通用语言文字法》的基本共识与主要争论

目前，学界已经就《国家通用语言文字法》形成了一些基本共识，但是随着该法的实施和语言生活的发展，学界开始关注其适切性和修订问题，也存在一些争论。

（一）基本共识

1. 角色和地位

《国家通用语言文字法》研究者通常认为该法是语言规划的一部分，扮演着重要角色，具有重要地位：（1）是中国语言立法的成果，在语言文字法律体系中拥有承上启下的重要地位（魏丹 2010；王晨 2020；陈丽湘，张振达 2022）；（2）是中国语言政策的法律体现，是对新中国成立以来语言文字基本政策的历史性总结，是中国国家通用语言文字政策法律化的显性表现（李宇明 2011；李俊宏 2017）；（3）是中国语言文字规范的重要组成和法治基础，既参与构成了中国语言文字规范体系，也为中国语言文字规范化、标准化建设确立了宏观原则和基本方向（李宇明 2001；孙兰荃 2004；魏丹 2010；张日培 2020）。

2. 主要功能

学界对《国家通用语言文字法》的功能做了广泛的讨论，大致可以概括为基本功能和拓展功能。（1）基本功能包括：确立国家通用语言文字的法律地位，调节语言文字关系，明确推广国家通用语言文字和维护语言平等的基本政策，保障公民学习和使用国家通用语言文字的权利，为社会用语用字规范提供法律依据（苏金智 2018，2021；张日培 2019）。（2）拓展功能，即国家通用语言文字的推广普及带来的延伸性作用，包括在铸牢中华民族共同体意识、维护民族团结和国家安全、促进形成文化认同、改善经济民生等方面的法治保障功能（李旭练 2015；南杰·隆英强 2019；王晨 2020）。

3. 管理对象和适用范围

《国家通用语言文字法》研究大多强调该法的管理对象是语言使用的社会行为而非个人行为，所规范的主要是语言形式，而非语言内容；法律所适用的范围主要是社会公共领域，即党政机关、教育、新闻媒体、公共服务行业，适用的人群主要是这四大领域中的从业人员（魏丹 2003；黄德宽 2012）。

4. 主要特点

学界公认《国家通用语言文字法》具有"软法"属性，主要特点是"刚柔相济"；相关研究指出的其他特点或原则，如求实性、原则性、引导性、弹性、宜宽不宜严等，也是对"刚柔相济"的解释。核心观点是：《国家通用语言文字法》的"刚性"主要体现在国家通用语言文字地位的规定上，在其他规定和执法上则为"软性"，以弹性规定、引导教育为主。之所以具有这种特点，是因为充分考虑和尊重了语言文字发展的科学规律、语言文字规范的学术意见和社会认识、中国语言国情和语言生活实际以及语言文字基本政策（王铁琨 2003；杨光 2005；董琨 2019）。

需要说明的是，学界对于法的"软法"属性和"刚柔相济"的特点有上述共识，仅限于普遍承认《国家通用语言文字法》现状如此，但对于是否要维持"软法"现状，学界仍有不同认识。

（二）主要争论

1. "国家通用语言文字"的概念及界定

《国家通用语言文字法》正式提出了"国家通用语言文字"的概念、名称及其所指，即"普通话"和"规范汉字"，但是并未给出明确定义。在国家通用语言文字的界定上，大致有以下两方面的争论。

（1）是否应在法律中明确给出"普通话""规范汉字"的定义。部分研究认为，《国家通用语言文字法》没有明确定义普通话和规范汉字的做法是合适的，原因是普通话、规范汉字的定义尚存学术争议，且不做明确界定亦不影响对普通话、规范汉字的认知判定，不会影响对该法的理解和实施（李宝贵 2004；黄德宽 2010；王理万 2022）。然而，也有研究指出，国家通用语言文字不只是一个学术概念，还是一个法律术语，如果在法律中没有明确界定，会造成规范对象不明、法律执行困难、立法基础空洞化等问题（李娟娟，宋功德 2011；易花萍 2014）。还有一类折中观点认为，鉴于普通话、规范汉字的界定尚存争议，可以不在法律中给出明确界定，以免造成法律越位语法；但是为了便于执行，应在与法律配套的规范标准（包括学术规范蓝本）中明确给出具体、明晰的定义（李宇明 2001；卢干奇 2003）。

（2）普通话、规范汉字的内涵与外延如何界定。关于普通话，学界通常认为《关于推广普通话的指示》中的定义是基本合适的，但并不严密，特别是"以北方话为基础方言"的词汇层面的界定比较模糊、缺少基础；而普通话的外延也存争议，例如普通话是否包括书面语，是否以普通话水平测试入级作为判定标准（王晖 2004；曹德和 2011，2013；王素改，司罗红 2023）。关于规范汉字，《国家通用语言文字法》没有给出界定，而是将官方发布的字表等汉字规范标准作为配套依据，以穷尽列举的方式给出规范汉字的范围。但是"规范汉字"概念本身还不周密，目前《国家通用规范汉字表》中"通用规范汉字"与《国家通用语言文字法》中"规范汉字"的称谓不完全统一，既有字表也无法完全覆盖法律所允许使用的全部汉字，如繁体字、异体字，同时对于两岸"简繁并存"的问题考虑不够。规范汉字的外延是否仅指中国内地用字？如果涵盖繁体字等，对于港澳台地区繁体字使用的规定是否应放宽？这些都是有待讨论的重要问题（李宇明 2004；黄德宽 2012；杨为乔 2023）。对普通话、规范汉字的界定会影响对国家通用语言文字的定名和认知，特别是对"普通话""国家通用语言"与"标准语""国语""共同语"等概念关系的理解，直接影响《国家通用语言文字法》具体修订问题的处理。例如，在修法过程中，如何区分或统一不同法律中"普通话""国家通用语言""汉语汉字""汉语文""当地通用语言文字""民族通用语言文字"等术语，是否将"国语"等名称入法等。

2.汉语拼音的地位、性质与使用范围

学界普遍承认《国家通用语言文字法》确立了汉语拼音作为国家通用语言文字的"拼写和注音工具"的法律地位，但是对于汉语拼音的性质、地位和使用范围的认识还比较模糊，存有以下争论。（1）对汉语拼音的地位及其与普通话、规范汉字的关系应如何认识。汉语拼音是国家通用语言文字的一部分，汉语拼音规范标准是否属于国家通用语言文字规范标准？（2）《国家通用语言文字法》关于汉语拼音法律地位的规定，是施行"一语双文"政策还是"一语一文"政策？汉语拼音作为拼写方案，与汉字的地位是平等并行，还是一主一辅？（3）形体上，汉语拼音字母是否判定为外文，按照外国语言文字相关规定予以管理？（4）《国家通用语言文字法》关于汉语拼音"用于汉字不便或不能使用的领域"的规定是否需要进一步明确、细化？（李宇明 2001；王开扬，马庆株 2003；杨涛 2007；邬美丽 2008）

3.语言权利和义务

关于《国家通用语言文字法》中语言权利和义务的解读解释，学界的主要争论点在于：是否应明确规定"学习和使用国家通用语言文字"为义务？一类观点认为，《国家通用语言文字法》只保障"学习和使用国家通用语言文字"的权利，而没有明确规定"学习和使用国家通用语言文字"的义务；且鉴于语言生活的动态丰富、复杂多样，不宜规定义务来规约个人行为（关彦庆，张桂元 2011；黄德宽 2012；苏金智 2018）。另一类观点认为，"学习和使用国家通用语言文字"既是权利也是义务，甚至更强调义务属性；认为法理上，权利和义务是统一体，不规定义务会影响《国家通用语言文字法》的贯彻落实（黄行 2010；巴特尔 2020；陆平辉 2021）。还有第三种认识，认为权利和义务的规定和解读应该区分主体、客体，应进一步明确《国家通用语言文字法》是重点保障"学习和使用国家通用语言文字"的个人权利还是群体权利，义务是国家政府机构的义务、部分群体的义务还是每个公民的义务（冯军 2010；魏丹 2010；易花萍 2014；周庆生 2019）。

4.《国家通用语言文字法》"软法"属性

《国家通用语言文字法》的"软法"属性主要体现在两个方面：一是法律规定"软"；二是力度"软"。对于"软法"属性的调整，学界也存在两种观点：（1）肯定"软法"属性，认为"软法"属性充分尊重了中国语言生活实际，体现了民主性，便于公众接受、更便推行（杨光 2005；黄德宽 2010）；（2）建议调整"软法"属性，认为无强制力、无惩戒力度、无明确义务归责、未规定主管部门机构、未明确说明适用对象和范围的法律很难贯彻落实，影响法的权威性、适用性，造成语言文字执法困难，理应做出调整（杨涛 2007；魏丹 2010；蒋昌忠 2019；陆平辉 2021）。

5."非通用语言文字"立法

从《国家通用语言文字法》制定时起，学者就开始讨论民族语言文字、方言的立法问题，普遍认为《国家通用语言文字法》主要对"国家通用语言文字"做出相关规定，暂不涉及其他语言文字现象。但是考虑到法律修订意见、语言权利保障的讨论和国际语言立法实践，有研究也提出了"非通用语言文字"立法的建议。然而，"非通用语言文字"的界定不明，特别是手语、盲文等应归为"国家通用语言文字"还是"国家非通用语言文字"，尚存争议；民族语言文字、方言等是否有单独立法之必要，是否要在《国家通用语言文字法》中增加相关原则性规定，也有待讨论（史灿方 2010；苏金智 2018；冯泽华 2021；魏丹 2022）。

6.外国语言文字的使用及其规范

《国家通用语言文字法》中对外国语言文字的规定，主要作为国家通用语言文字使用条款的补充。虽然学界普遍承认《国家通用语言文字法》应对境内的外国语言文字做出规定，协调国家通用语言文字与外国语言文字的关系；但是外国语言文字使用情况复杂，应规范哪些行为，如何协调统一不同法律之间的相关规定，如何处理汉语拼音与外国语言文字的关系，要加强还是放宽外国语言文字的使用限制，等等，都悬而未决，学界对外国语言文字的法治问题尚缺系统、前瞻的研判（魏丹 2003；蒋昌忠 2019）。

四、新时代《国家通用语言文字法》的修订

《国家通用语言文字法》的修订和落实需要满足法治中国建设要求，及时回应语言生活法治需求、科学阐释语言文字法律法理、精准解决语言文字法治问题，促进语言文字依法治理能力现代化，助推语言生活依法治理实现"良法善治"。

（一）科学研判，深究法理依据

发掘、解释《国家通用语言文字法》的法理，是修订和解释《国家通用语言文字法》、完善语言文字法律体系的基础。法理学是提供"合法性"判定的标准和分析工具，典型的如自然法学、实证主义法学、批判法学的法理理论。[①]但是，无论哪种法理学理论或分析工具，在语言文字法律的法理分析上，需要充分参考学界和社会关于语言文字的共识。例如，按照自然法学"道德准则"的法理评判

---

① 文中关于法理、法理学的介绍和概括参考了中国版权研究中心研究部版权研究顾问李文龙先生的观点，在此特别说明并由衷致谢。

标准，语言文字法律所符合的道德准则主要是指语言道德、语言伦理或中国语言文字法治传统、法治文化，语言文字法律与语言道德、语言伦理、语言法治文明之间的关联和接续或成为《国家通用语言文字法》法理研究的重要议题。

（二）与时俱进，修订法律规定

《国家通用语言文字法》的修订和实施应树立时代观，回应语言文字法治建设的时代需求，需要重点考虑以下内容。

1.适当调整国家通用语言文字适用领域相关规定，为领域语言文字立法留出接口。

目前，《国家通用语言文字法》规定的国家通用语言文字使用的"四大领域"中，"广播、电视领域"的语言生活在新时代已经发生很大变化，或有必要将"广播、电视领域"扩充为"公共传播领域"。此外，也应开展领域语言文字使用情况调查，确定新时代的"语言文字使用大户"，对"四大领域"重新界定或调整，为后续领域语言文字立法留出接口。

2.统筹考虑中国各个区域的语言文字使用状况和法律法规，为民族地区、港澳台地区的语言生活依法治理做好法律准备。

《国家通用语言文字法》的主要目的是提出国家通用语言文字的概念、明确普通话和规范汉字的法律地位，为维护民族团结、国家统一提供强有力的法律支撑。但是，在各民族国家通用语言文字学习和使用义务、两岸"简繁并存"的解释、"国语"定名及其法律地位等问题上还缺乏考虑和必要的法律规定。需要优先考虑重点地区国家通用语言文字推广普及的法治保障问题，对国家通用语言文字、民族语言文字、港澳台地区方言、两岸简繁汉字的协调给出原则性规定。

3.重新审视法律规范对象，思考数字时代语言形式和内容的法治问题。

中国已经进入且在今后很长一段时间都将处于数字时代，语言资源观、数据观要求我们对于语言文字法规范对象的认识不能再局限于对语言形式、语言内容的划分，而应结合资源观、数据观考虑语言文字法治建设问题，例如语言数据产权的界定与法治管理。《国家通用语言文字法》可以在信息化相关条文中就数字时代的国家通用语言文字使用做宏观的、范围性的、导向性的补充规定。

4.树立国际观，适当增强《国家通用语言文字法》的涉外法治功能。

《国家通用语言文字法》也应作为涉外领域语言文字依法治理、推动国家通用语言文字国际传播、依法规范境内外国语言文字使用的法律依据。一方面，完善外国语言文字规范标准，特别是外文中译相关规范标准，在《国家通用语言文字法》中明确外来词、表述等应参照外文中译规范标准，提高中文译本的法律地位；另一方面，明确《汉语拼音方案》的法定地位、细化相关规定，强调《汉语拼音方案》是国内、国际中文罗马化的唯一的标准化方案，对"不便使用汉字"的情况作进一步说明。

（三）系统落地，对接执法司法

法律修订应考虑对接执法司法，提高《国家通用语言文字法》执法司法的可操作性。法律修订需要同步考虑国家和地方语言文字监管机构建设、执法司法主体及归责等问题，特别是确定国家和地方语委是否具有语言文字相关事务的执法权。在法律力度的调整上，应区分"刚性"和"柔性"要求，对于"刚性"的法律规定，理应坚持（董琨 2019），需要按照法律的"底线思维"，确定"刚性"规定不得违反，适当增强惩处力度；对于"柔性"要求，则可适当变通，给予执法司法主体一定的自主裁量、解释权，方式以教育、引导为主，不采取强制性措施，但须明确，即便违反的是"柔性"规定，本质上也属于违法行为。

（四）共享共治，增强法治意识

《国家通用语言文字法》的落实有赖于语言文字法治能力的提升，语言文字法治建设需要树立语言治理观，倡导多主体平等、广泛参与、共享共治（王春辉2021）。法本质上是共同体的秩序和规范，是共同体生活的一部分（奥托·基尔克2021：9；欧根·埃利希2023：33～70），只有被社会共同体所认同和遵守，才能算是法律。因此，不少学者提出要融合公共治理理念，来促成语言文字法律的有效落实，鼓励人民群众参与语言文字法治建设，增强全社会的语言文字法治意识。语言文字法治建设融合治理理念需要推进语言文字治理的法治化，按照王春辉（2021）关于语言治理基本内容的界定，至少应该在语言文字本身的治理、语言文字生活的治理、语言文字工作的治理、语言治理助力国家治理等4个方面思考法治化建设。

做好《国家通用语言文字法》的修订工作，是新时代法治中国建设的需要，也是语言文字事业有序推进、语言生活健康和谐发展的法治前提。中国语言文字法治研究应以《国家通用语言文字法》的修订为契机，回应时代之问，加强《国家通用语言文字法》的研究、阐释、宣传，从法理、学理、事理上讲深讲透。立足实现中华民族伟大复兴的战略全局和世界百年未有之大变局，深度思考何以稳定国内语言文字法治秩序、参与国际语言文字法治建设，讲好中国语言文字法治故事。

参考文献

奥托·基尔克　2021　《人类社团的本质》，杨若濛，译，北京：商务印书馆。

巴特尔　2020　《学习使用好国家通用语言文字是各民族的共同责任》，《中国民族教育》第10期。

曹德和　2011　《如何界定普通话的内涵和外延——学习〈国家通用语言文字法〉的思考》，《安徽大学学报（哲学社会科学版）》第1期。

曹德和　2013　《〈语言文字法〉拒绝"国语"名称的原因和合理性——从"国语"好还是"普通话"好的争论说起》，《北华大学学报（社会科学版）》第1期。

陈丽湘，张振达　2022　《中国语言生活依法治理的历程与经验》，《天津师范大学学报（社会科学版）》第6期。

陈章太　2002　《说语言立法》，《语言文字应用》第2期。

陈章太，谢俊英　2012　《〈国家通用语言文字法〉颁布10周年纪念》，载教育部语言文字信息管理司《中国语言生活状况报告（2012）》，北京：商务印书馆。

程祥徽　2001　《港澳用语用字问题》，《语文建设》第5期。

戴昭铭　1992　《繁体风、"识繁写简"和语文立法问题》，《语言文字应用》第1期。

道　布　2001　《〈国家通用语言文字法〉的颁布和施行对少数民族的意义》，《语言文字应用》第2期。

董　琨　2019　《汉语规范中的弹性原则》，《语言战略研究》第2期。

方　兴　2000　《制定国家通用语言文字法很有必要》，《语文建设》第8期。

冯　军　2010　《在新的起点上进一步加强国家通用语言文字法制建设》，《语言文字应用》第3期。

冯泽华　2021　《我国手语和盲文的法律地位：发展进程与制度进路》，《人权》第5期。

关彦庆，张桂元　2011　《〈中华人民共和国国家通用语言文字法〉的法律精神》，《社会科学战线》第10期。

郭龙生　2015　《双语教育与中国语言治理现代化》，《双语教育研究》第2期。

……

（因版面不足，以下参考文献从略，可在中国知网上阅读、下载完整版）

责任编辑：逯琳琳

国家认同视域下的《国家通用语言文字法》修改[*]

叶　强

（中南财经政法大学　国家治理学院　湖北　武汉　430073）

提　要　学界对于《国家通用语言文字法》修改的研究，从注重国家通用语言文字的标准化，发展到重视语言权的保护，再发展到强调国家通用语言文字的认同作用，形成了朝着铸牢中华民族共同体意识的方向发展的修法共识。从国家认同语境看，《国家通用语言文字法》的修改应从处理好国家通用语言文字与少数民族语言文字的关系入手，着重解决以下问题：国家通用语言文字在法律上应该具有何种地位？少数民族语言文字应该如何学习和使用？对于某些特殊群体，国家通用语言文字水平是否应该有硬性要求？作为国家通用语言文字教育的主阵地，学校应该做什么？参考近年来国家层面的语言文字政策和地方性法规规章内容，建议：确认国家通用语言文字的主体地位，明确少数民族语言文字使用的具体情形，规定国家机关、教育机构和其他公共服务行业工作人员的语言资质条件，配齐少数民族学校教授国家通用语言文字的教材、师资和设备，真正让这部法律成为国家通用语言文字保护和传承的根基。

关键词　国家认同；铸牢中华民族共同体意识；国家通用语言文字；少数民族语言文字

中图分类号　H002　**文献标识码**　A　**文章编号**　2096-1014（2025）01-0044-10

DOI　10.19689/j.cnki.cn10-1361/h.20250104

Revision of the *Law of the People's Republic of China on the Standard Spoken and Written Chinese Language* from the Perspective of National Identity

Ye Qiang

Abstract　Previous researches on the revision of the *Law of the People's Republic of China on the Standard Spoken and Written Chinese Language* have shifted the focus from the standardization of the national common language and script to the protection of language rights, and then to the role of the national common language and script in national identification, thus forming a consensus towards strengthening the sense of community of the Chinese nation. From the perspective of national identity, the revision of the law should start with handling the relationship between the national common language and script and ethnic minority languages and scripts, and focus on addressing the following issues: what legal status should the national common language and script have? How should ethnic minority languages and scripts be learned and used? Is there a mandatory requirement for certain special groups in terms of their proficiency in the national common language and script? As the main battlefield of national common language and script education, what should schools do? With reference to the national policies and local regulations and rules in recent years, it is recommended to confirm the dominant position of the national common language and script, clarify the specific circumstances for the use of ethnic minority languages and scripts, establish language

　　*　作者简介：叶强，男，中南财经政法大学副教授，主要研究方向为民族法律与政策、教育治理。电子邮箱：yeeq1987@sina.com。

　　2024 年度法治建设与法学理论研究部级科研项目"《民族团结进步促进法》的规范类型及内容体系研究"（24SFB3004）。

proficiency requirements for personnel in state organs, educational institutions, and other public service industry, provide ethnic minority schools with teaching materials, faculty, and equipment for teaching the national common language and script, and truly make this law the foundation for the protection and inheritance of the national common language and script.

Keywords　national identity; forging a strong sense of community of the Chinese nation; national common language and script; ethnic minority languages and scripts

推广全国通用的普通话，是《中华人民共和国宪法》（以下简称《宪法》）第 19 条第 5 款规定的国家义务。2000 年 10 月，全国人大常委会根据《宪法》制定了《中华人民共和国国家通用语言文字法》（以下简称《国家通用语言文字法》），该法在语言文字的使用、监管和治理中发挥了重要作用。

过去，学术界对语言文字立法的研究相对较少。党的十八大以后，随着习近平总书记关于加强和改进民族工作的重要思想的形成，铸牢中华民族共同体意识成为新时代党的民族工作的主线。在这个意义上，国家通用语言文字教育作为"多民族国家认同建构的基础性工程"的重要性更加彰显。由此，《国家通用语言文字法》的修改提上了议事日程。2023 年 12 月，《全国人大常委会 2024 年度立法工作计划》将"国家通用语言文字法（修改）"列入第一类项目。2024 年 7 月，全国人大教科文卫委在吉林省延边朝鲜族自治州召开修改国家通用语言文字法座谈会。当国家立法的需求被释放后，学术界的研究热情也随之而来（张天伟 2021）。综观学术界现有的研究成果和地方立法的最新动态，本文从国家认同的角度提出了《国家通用语言文字法》的完善思路和具体建议，以供有关部门参考。

一、通用语言文字与国家认同的关系

语言与国家建构有着紧密的关系（王春辉 2018）。在世界范围内被统计的 142 部宪法文本中，有 79 部规定了国语或官方语言，比例为 55.6%（王晨 2020），足见语言在国家建构中的重要性。虽然中国《宪法》没有直接将普通话规定为官方语言，但是"推广全国通用的普通话"条款赋予了国家通用语言文字的重要意义。故而，我们应该在认清国家通用语言文字与国家认同关系的基础上，推动《国家通用语言文字法》的研究和修改。

（一）国家认同的语言基础

"认同"（identity）是人们对自我身份的"确认"，即回答"我们是谁（群体认同）"或者"我是谁（个人认同）"的问题（田鹏 2015）。根据美国历史学家菲利普·格里森（Philip Gleason）的考证，identity 一词出现于 16 世纪的英语词汇中，起初主要用于代数和逻辑学。自 17 世纪英国哲学家约翰·洛克（John Locke）起，identity 进入哲学领域，与认识主体问题发生关联。20 世纪 50 年代，随着人类知识体系迅速发展，亦因社会急剧变迁，认同与身份确认、归属等问题相关联，identity 先后进入心理学、社会学、人类学、政治学和历史学等学科范畴内，作为一个流行词或概念被广泛使用（Gleason 1983）。20 世纪 70 年代以来，"国家认同"（national identity）概念开始出现在西方政治学界的讨论中（尤陈俊 2021），再后来逐渐被法学界所援用，成为连接国家建构与法治发展的一个重要单词。

在现代民主政治、法律制度与公民身份所建构的语境下，公民的国家认同具体表现为作为一个国家的成员，赞同由这个国家的法律体系构建的国家制度，在享有国家赋予的公民权利的同时，自觉承担起国家义务（暨爱民 2016）。如果说国家认同是由法律制度建构的，而法律制度又是由特定的语言所书写的，那么一个国家使用什么样的语言，将在很大程度上决定这个国家公民的认同水平。这个问题，在民族国家建立的早期阶段更加突出。对此，试举两例加以说明。1789 年法国大革命具有政体革命、社会革命和语言革命等多重意义。在语言问题上，当时的革命者认为，只有统一语言，才能真正实现共和革命之下的国家建构任务。通过用法语书写《人权宣言》，使得语言与爱国、主权、国家联系在一起（王建学 2022）。1900 年的庚子事变让晚清中国的民族危机更加深重。在有识之士的推动下，清政府在教育领域提出了"统一国语"的概念。1911 年，清廷学部出台的《统一国语办法案》取代了明代修订的《洪武正韵》，宣布了汉语作为"国语"的国家通用语言身份，成为了中华民族国家构建的重要元素之一（青觉，姜杰 2023）。

民族国家建立后，并不意味着国家建构的完成，也不意味着国家认同的静止不变。对此，瑞士政治学家安德烈亚斯·威默（Andreas Wimmer）的《国家建构：聚合与崩溃》一书试图从"政治整合"与"政治认同"两个维度，探讨国家与社会（各族群）之间的相互关系如何建构的问题，其中语言扮演着重要角色。在该书第四章《沟通整合：中国和俄罗斯》中，作者比较了中华帝国和俄罗斯帝国在近代发生巨变的过程中，一种统一的中文书面语言保障了后帝国时代中国人的民族认同和国家建构，而在沙皇俄国境内多达几十种语言的各族群在罗曼洛夫王朝崩溃后则出现了整合困难的情况（安德烈亚斯·威默 2019）。

事实上，民族国家在建立之后仍然存在着多民族、多族群、多语言、多方言的现象。在中国，这就要求处理好汉语普通话与汉语方言、国家通用语言文字与少数民族语言文字之间的关系，要在民族聚居地区加强汉语普通话的推广。基于此，在认识到语言对于国家认同（或者民族认同）的重要性的同时，还要充分发挥国家通用语言文字的国家认同功能。

（二）国家通用语言文字的国家认同功能

关于语言与认同的关系，有学者系统梳理了西方的研究成果，表明语言有助于民族认同。这主要体现在 3 个方面：其一，语言是构成民族认同最稳定的要素；其二，语言揭示了民族共同心理与民族实践的一种非共变关系；其三，语言意识能够反哺国家认同、地域认同和文化认同（尹小荣 2016）。最近，英国语言学家约翰·约瑟夫（John E. Joseph）从历史的角度追溯了语言与认同的关系。在古希腊，二者的关系表现为两种观点：其一，语言与认同没有关系；其二，语言塑造了认同。在进入近代之后，特别是在文艺复兴阶段，第一种观点被废弃了，而第二种观点又演变出了 3 种变体。其一，语言起着纯粹的语用作用。无论语言的内部形式如何，共享语言这一简单事实将一个民族联系在一起。其二，那种共享一种语言的特定形式或"精神"反映了说这种语言的民族与其他民族的区别。其三，那种共享一种语言的特定形式或"精神"赋予了他们作为一个民族的独特性质或精神。当语言学在 19 世纪被确立为一门学科时，人们对语言的不同认识也使得语言与认同的关系日益复杂，但大体上对应以上 4 种观点。现如今，语言与身份的研究倾向于将二者的联系视为主体间的建构或者语境偶然性的建构。"主体间性"的构建论认为，个人拥有（或占据）的身份是一种潜在变动的、模糊的类别；"情境偶然性"的观点认为，即使是同一个群体，即便说同一种语言，也会根据具体情况为他们共同构建不同的身份（Preece 2016）。由此可见，语言与认同之间确实存在关联，只不过不同的语言流派对二者关系的认识可能存在差别。

国家通用语言文字与国家认同有着紧密的关联。一方面，国家通用语言文字保障了一个国家内部的行政区划的稳定。例如，《芬兰共和国宪法》第 122 条第 1 款规定："调整行政区划时应尽量尊重地理分界，以便同等条件下使用芬兰语或瑞士语的人都有权利用其自己的语言接受公共服务。"中国的《行政区划管理条例》（2017）和《行政区划管理条例实施办法》（2019）也有类似的条款，如《行政区划管理条例实施办法》第8条第3项规定，申请变更行政区划向上级人民政府提交的申请书，内容应当包含"与行政区划变更有关的经济发展、资源环境、人文历史、地形地貌、人口、行政区域面积和隶属关系的简要情况"，这里的"人文历史"应该包含当地的语言使用情况。

另一方面，国家通用语言文字的普及有助于贫困地区的经济和社会发展，增加各族人民之间的凝聚力。近年来，中国在实施"精准扶贫"的过程中，将"语言扶贫"作为一项重要政策加以落实。2018年1月，教育部、国务院扶贫办、国家语委共同印发的《推普脱贫攻坚行动计划（2018—2020年）》提出"扶贫先扶智，扶智先通语"，首次将国家通用语言文字的掌握使用与脱贫攻坚战略相结合。有学者经过调研和计算后指出，少数民族群体的国家通用语言能力越强，在日常生活情境中就越经常使用国家通用语言，其国家认同就会越高（焦开山，郭靓雯2021）。脱贫攻坚完成之后，如何发挥语言助力乡村振兴的功用也引起了学术界的重视（黄龙光，杨晖2023）。相关部门还积极出台政策文件，推动相关举措落地。如2021年12月，教育部、国家乡村振兴局、国家语委印发的《国家通用语言文字普及提升工程和推普助力乡村振兴计划实施方案》就指出，推广普及国家通用语言文字是实施乡村振兴战略的有力举措。

二、《国家通用语言文字法》修改研究综述

认识到通用语言文字与国家认同的关系是一回事，将《国家通用语言文字法》的制定和修改与国家认同相连又是一回事。回顾《国家通用语言文字法》的制定史，可以发现其在制定之初（2000年7月一审时）更多是出于"实现国家通用语言文字的规范化、标准化的需要"（汪家镠2000），而没提及国家认同的需要。在全国人大常委会于2000年10月第三次审议《国家通用语言文字法（草案）》时，根据常委委员的建议，才在草案第一条增加了"促进各民族、各地区经济文化交流"的内容（王维澄2000），但是在其他章节中并未增加对应的实体规范，这就导致《国家通用语言文字法》的出台与国家认同的关系并不是很凸显。

《国家通用语言文字法》在2001年年初实施后，学术界对它关注不多；对于如何修改的研究，也是近年来才出现。按照时间顺序，在全面收集《国家通用语言文字法》的研究文献之后，以《国家通用语言文字法》颁布10周年座谈会（2011年1月20日）和2021年中央民族工作会议（2021年8月27～28日）为节点，我们将学术界的研究历程划分为3个阶段：零星讨论阶段（立法通过～2010年）、初步总结阶段（2011～2020年）和修法预热阶段（2021年至今）。

在零星讨论阶段，学术界主要讨论了两个问题：其一，《国家通用语言文字法》配套规定的制定。对此，有学者认为，地方立法可以从方言的使用范围、社会用字标准、繁体字和异体字的使用范围、国家通用语言文字在不同领域使用的要求等方面进行细化（魏丹2003）。还有学者认为，由于《国家通用语言文字法》的内容过于原则化，需要对政府部门的执法细则和奖惩标准加以具体化（张先亮2003；薛占峰，董金凤2006）。其二，《国家通用语言文字法》是否应当规定语言权利。有学者认为，应该将《国家通用语言文字法》变更为《语言文字法》，规定语言权尤其是个体语言权的内容（杨晓畅2005）；还有学者从方言的角度讨论了群体语言权的发展保护问题（王敏2006）。在司法实践中，江西省鹰潭市中级人民法院于2009年2月二审宣判的"赵C姓名权案"，通过解释《中华人民共和国居民身份证法》和《国家通用语言文字法》中的相关条款，提出了姓名应该使用规范汉字的司法见解（李予霞，牛占斌2009），这也涉及个体语言权的保护。

在初步总结阶段，学术界研究了《国家通用语言文字法》在法律属性和法律执行中的几个具体问题。其一，有学者认为可以借鉴"软法"理论，实现《国家通用语言文字法》在语言文字领域的"软法之治"（黄德宽 2010）。其二，有学者认为，《国家通用语言文字法》没有清晰处理普通话与规范汉字之间的关系，导致各地对"普通话"的理解和执法不统一（曹德和 2011）。其三，有学者认为《国家通用语言文字法》的实施必须处理好其与政策之间的关系（沙宗元 2011）。此外，其他研究还较多涉及国家通用语言与少数民族语言的法律关系问题（黄行 2010）。总之，这一阶段的研究文献虽然数量也较为有限，但反思了《国家通用语言文字法》在颁布实施 10 周年后的一些现实问题。

在修法预热阶段，学术界对《国家通用语言文字法》的研讨更为集中，也更加深入，主要是将其与国家能力建设、中华民族构建、铸牢中华民族共同体意识等宏大叙事结合起来。其一，有较多学者分析了《宪法》第 19 条规定的普通话条款在国家认同建构中的作用（尤陈俊 2020；陈斌 2021；王建学 2022），这就与强调语言权利保护的学者形成了鲜明对比（孟祥瑞 2022）。其二，较多学者分析了国家通用语言文字普及在民族地区的作用，诸如信息沟通、国家认同、国家建设等（石琳 2021；常安 2021；康翠萍，宁爽 2022）。其三，还有学者分析了如何通过合宪性审查技术推动《国家通用语言文字法》的有效实施（王理万 2022），等等。

通过对《国家通用语言文字法》修改文献的综述，可以得出以下观点：第一，历史上，《国家通用语言文字法》的修改研究从注重国家通用语言文字的标准化，发展到重视语言权的保护，再发展到强调国家通用语言文字的认同作用。第二，近年来，在 2021 年中央民族工作会议的思想引导下，学术界的修法共识已经形成，即《国家通用语言文字法》的修改应该朝着铸牢中华民族共同体意识的方向发展。第三，整体上看，学术界关于《国家通用语言文字法》修改的体系化研究成果尚付阙如。

三、国家认同语境下《国家通用语言文字法》存在的主要问题

在《国家通用语言文字法》的修订过程中，《国务院办公厅关于全面加强新时代语言文字工作的意见》（国办发〔2020〕30 号）出台，主旨鲜明、内容全面，是指导新时代语言文字工作的纲领性文件。文件首段指出"语言文字事业事关国家统一和民族团结"，这为《国家通用语言文字法》的修改明确了方向。从国家认同的语境看，《国家通用语言文字法》的修改应从处理好国家通用语言文字与少数民族语言文字的关系入手，着重解决 4 个相互关联的问题：其一，国家通用语言文字在法律上应该具有何种地位？其二，少数民族语言文字应该如何学习和使用？其三，对于某些特殊群体，国家通用语言文字水平是否有硬性要求？其四，作为国家通用语言文字教育的主阵地，学校应该做什么？

（一）国家通用语言文字的法律地位问题

中国《宪法》与语言相关的条款有两个：一个是第 4 条第 4 款"各民族都有使用和发展自己的语言文字的自由"，另一个是第 19 条第 5 款"国家推广全国通用的普通话"。学术界关于这两个条款的含义及其关系有很多种解读，譬如从语言权利的角度，从国家构建的角度，甚或是从国家义务的角度（上官丕亮，刘焕芳 2021），但是无论如何都很难直接解读出国家通用语言文字相较于民族语言文字的法律优先地位。根据学者的统计，在欧洲 40 个国家中有 34 个对语言问题做了具体规定，其中 30 国宪法明确规定了国家语言或官方语言的种类（陈斌 2021）。对国家通用语言文字的法律地位的规定理应在《国家通用语言文字法》上有所体现。然而，该法第 2 条只规定了国家通用语言文字的内涵——普通话和规范汉字，而没有对它的法律地位做出明确规定，这就导致在实践中如何处理国家通用语言

文字与少数民族语言文字的关系出现了一些偏差。

例如，《全国人民代表大会常务委员会法制工作委员会关于 2020 年备案审查工作情况的报告》就公开了对于个别地方性法规违反《宪法》"推广普通话条款"的审查事例。全国人大常委会法工委经审查认为，涉案规定与《宪法》第 19 条第 5 款关于国家推广全国通用的普通话的规定和国家通用语言文字法、教育法等有关法律的规定不一致，已要求制定机关做出修改（沈春耀 2021）。前文提到，内蒙古先后制定了《内蒙古自治区蒙古语言文字工作条例》（2004）和《内蒙古自治区实施〈中华人民共和国国家通用语言文字法〉办法》（2007）。鉴于合宪性问题，这两部地方性法规在 2021 年被修订整合为新的《内蒙古自治区实施〈中华人民共和国国家通用语言文字法〉办法》（2021），其中第 1 条规定"为了维护国家通用语言文字的主体地位"。这也是目前唯一规定国家通用语言文字的法律地位的地方性法规。

法理上，国家通用语言文字和少数民族语言文字的法律地位是不一样的。前者体现了国家整体的价值观，是国家认同的文化载体；后者体现的是部分族群的价值观，是国家文化的组成部分。根据主干与支干的关系，国家语言文字理应居于主体地位。立法如果不能对这个问题定位清楚，必然会影响它的有效实施。以美国的《双语教育法》（*Bilingual Education Act*）的命运为例。从 1968 年通过到 2002 年废止期间，各派对该法争论不休。反对它的人对它不满意，认为它容易导致忽视英语语言能力的习得；而赞成它的人对它也不满意，认为它并没有充分保障少数民族语言的独特地位（孙云鹤 2019）。所以，在有关法律的根本原则的问题上，《国家通用语言文字法》不应该含混模糊，而应该旗帜鲜明地表达国家通用语言文字的优先地位。

（二）少数民族语言文字的学习和使用问题

在《国家通用语言文字法》的制定过程中，要不要规定"少数民族语言文字的学习和使用"，经过了立法者的反复权衡。最开始，全国人大常委会设想，通过该法将国家通用语言文字和少数民族语言文字工作一并纳入法治轨道，但是后来考虑到少数民族语言文字工作的问题有其复杂性和特殊性，宜另做规定，全国人大常委会委员长会议决定缩限该法内容，将立法目标正式确立为"促进国家通用语言文字的推广和普及"（全国人大教科文卫委员会 2001）。在法律体系中，与少数民族语言文字保护直接相关的立法是《中华人民共和国非物质文化遗产法》（2011），但是它将少数民族语言文字纳入非物质文化遗产的范围，在严格意义上并不涉及少数民族语言文字在日常生活中该如何运用的问题。而在地方立法层面，前文提及，地方存在少数民族语言文字保护立法和国家通用语言文字立法并行的情况。为此，本轮修法应该重新思考当初立法的遗漏问题，考虑少数民族语言文字学习和使用的具体情境问题。

就语言文字的使用原则而言，对于代表共同性方向的国家通用语言文字应以"积极扶持"为原则，而对于代表差异性现状的民族语言文字则应采取"非歧视原则"（邹阳阳 2021）。在地方立法中，《广西壮族自治区少数民族语言文字工作条例》（2018）第 4 条第 1 款"自治区在统一推广和使用国家通用语言文字的基础上，鼓励和支持在壮族聚居地区使用国家批准的《壮文方案》确定的壮语言文字"，就很好地体现了这一精神。为此，在修改《国家通用语言文字法》时，应明确规定少数民族语言文字学习和使用的具体情境，保障各种少数民族语言文字的发展。

（三）不同群体掌握国家通用语言文字水平的差异化问题

在制定《国家通用语言文字法》之前，中国组织了有史以来第一次全国规模的语言文字使用情况调查。经过长达 7 年的调查，"中国语言文字使用情况调查"结果于 2004 年年底在人民大会堂发布。调查结果显示：全国能用普通话进行交际的人口比例约为 53%（中国语言文字使用情况调查领导小组办公室 2006）。又经过十几年的发展，根据最新的数据，2020 年全国范围内普通话普及率达到了 80.72%（国家语言文字工作委员会 2021）。《国务院办公厅关于全面加强新时代语言文字工作的意见》要求"到 2025 年，普通话在全国普及率达到 85%"。由此可见，现如今不同群体掌握国家通用语言文字的水平仍然存在差异。

既然不同群体掌握国家通用语言文字水平是有差异的，而《国家通用语言文字法》要促使普通话和规范汉字的使用在提升覆盖率的同时又要保持必要的法律刚性，那么一种可行且符合法理的办法就是只对一部分人使用国家通用语言文字进行强制规范。在法理学上，法律规范根据内部权利义务的关系，可分为任意性规范和命令性规范，命令性规范是指权利义务明确、不允许人们违反的规范。《国家通用语言文字法》之所以只用命令性规范约束一部分人，而不是约束所有的人，理由在于：如果该法采用命令性规范约束所有的人，那么要么无法实施，要么违反了宪法规定。因为少数民族语言文字受到《宪法》第 4 条第 4 款的保护，所以很难强制所有的人学习或者使用国家通用语言文字。但是，对于部分群体而言，尤其是国家机关、教育机构和其他公共服务行业中的工作人员，由于他们从事的工作的特殊性，对他们的普通话的要求自然比普通人要高。换言之，因为他们从事的工作直接与公共性相关，涉及与国家认同最为紧密的那部分工作，所以《国家通用语言文字法》应该对他们的语言要求采取强制性规定。

而在这个问题上，《国家通用语言文字法》在第二章"国家通用语言文字的使用"做了相对柔性化的处理。问题主要表现在：其一，第 9 条和第 10 条虽然对国家机关、学校及其他教育机构的国家通用语言使用提出了要求，但是"法律另有规定的除外"则为这两个"但书"条款的排除使用留有余地了。依据立法原理，《国家通用语言文字法》是全国人大常委会制定的一般性法律而非基本法律，它在位阶上不可能高于《中华人民共和国民族区域自治法》或者《中华人民共和国教育法》；一旦这两部法律或者其他法律有特别规定，就很难保障《国家通用语言文字法》第 9 条和第 10 条的实施。其二，除了第 9 条和第 10 条的"但书"问题外，即便是第二章对相关工作人员提出了国家通用语言文字的要求，但是缺乏对各类工作人员在普通话等级上的具体要求，这同样影响了第二章的实施效果。对此，有学者指出，在政策层面可以在教育领域、公务领域和公共服务领域渐进地实现国家通用语言文字的优先使用，由此确保其在国家语言生活中起着主导作用（朱碧波 2020）。

（四）学校教育中的国家通用语言文字资源供给问题

公民的国家认同作为一个渐进的发展过程，主要靠潜移默化的教育。而国家通用语言文字的推广和普及同样要靠教育，或者说主要通过教育来实现。这是因为，作为一种有组织的活动，教育，特别是学校教育，提供了大规模、大范围提高目标群体语言水平、认知状况和改善其逻辑结构的可能。在这个意义上，也就意味着《国家通用语言文字法》的实施主要靠学校及其他教育机构来实现。但是从该法的法律文本来看，目前只有一个条款的篇幅，显然不够。《国家通用语言文字法》第 10 条规定，学校及其他教育机构使用的汉语文教材，应当符合国家通用语言文字的规范和标准，而对于汉语文教师的师资、规模、待遇、培训、晋升，以及在双语教育的开设阶段、师资及教材等方面，都缺乏规定，特别是针对少数民族学前儿童的国家干预更是付之阙如，这些都是《国家通用语言文字法》在修改时应该重视的事项。

根据教育部民族教育发展中心在部分地区的调研显示，在民族地区打造一支高素质专业化语文教师队伍的任务仍十分艰巨。具体表现在：其一，部分语文教师兼职问题突出；其二，语文教师队伍整体专业化程度有待提高；其三，语言教师培训的针对性不够；其四，语文教师的科研能力仍需加强（黄慧英 2023）。例如，《九寨沟县做好国家通用语言文字工作实施方案》（2022 年 6 月 24 日）将"以提升教师国家通用语言文字运用能力为重点，切实增强教师推动国家通用语言文字运用的主力军作用"作为主要工作内容。为了做好这项工作，九寨沟县人民政府组建了由县政府分管、副县长任主任的"县语言文字工作委员会"，加大了经费投入力度。[①] 据此，《国家通用语言文字法》在修改时可以合理吸纳地方的经验做法，充实学校教育这部分的文本内容。

而针对少数民族学前儿童的国家干预，虽然在部分试点地区进行了政府实施的公共投资项目和社会机构的教育干预项目的试验，但是受制于各种条件，这项工作才刚开始展开（李瑞华，徐福，陈婷丽 2021），距离全面覆盖还有较大差距。过去，根据《幼儿园工作规程》（1996 年中华人民共和国国家教育委员会令第 25 号）第 28 条的规定——"幼儿园应当使用全国通用的普通话。招收少数民族幼儿为主的幼儿园，可使用当地少数民族通用的语言"，在民族地区进行学前儿童干预存在法规障碍，但是《幼儿园工作规程》（2016 年中华人民共和国教育部令第 39 号）已经删除这一条的规定。最新的《中华人民共和国学前教育法》（2024）第 56 条第 2 款规定"幼儿园应当以国家通用语言文字为基本保育教育语言文字"，为今后扩大少数民族学前儿童的语言干预工作提供了法律依据。

四、《国家通用语言文字法》的修改完善

以上从国家认同的角度对《国家通用语言文字法》修改中的 4 个问题进行了法理分析，并没有涉及修法的方方面面。从修法的内容看，《国家通用语言文字法》的修改除了可以合理借鉴近年来地方制定的语言文字法规和规章外，还有必要做好与《中华人民共和国民族区域自治法》《中华人民共和国非物质文化遗产法》《中华人民共和国教育法》《中华人民共和国教师法》《中华人民共和国学前教育法》等关联法律的衔接，因为这些法律也涉及国家通用语言文字教育的内容。基于此，针对以上 4 个问题提出修法建议。需要说明的是，以下这些建议参考了近年来国家层面的语言文字政策和地方性法规规章的内容。

（一）确认国家通用语言文字的主体地位

《国家通用语言文字法》的修改，首先应明确规定国家通用语言文字的主体地位。目前，由于各地修订地方性立法的时间不一致，再加上《国家通用语言文字法》的立法目的对此并未表达，导致各地在处理这个问题上的态度不尽相同。梳理现有的地方性立法，发现《内蒙古自治区实施〈中华人民共和国国家通用语言文字法〉办法》（2021）第 1 条"为了维护国家通用语言文字的主体地位……"对此已经予以规定。为此，建议《国家通用语言文字法》的修订按照国家认同的要求，明确规定国家通用语言文字的主体地位（或者优先地位）。具体的规范设计可以涵盖如下内容。其一，在立法目的上，在第一条中写入"为了维护国家通用语言文字的主体地位（或者优先地位）"。其二，在立法原则中，写入"推广普通话和推行规范汉字是全社会的共同责任"，树立起"学习和使用国家通用语言文字既是公民的权利，也是公民的义务"的新风尚。其三，在组织建设上，规定县级以上人民政府设立语言

---

① 参见：《关于印发〈九寨沟县做好国家通用语言文字工作实施方案〉的通知》，http://www.jzg.gov.cn/jzgrmzf/c106082/202207/56955bf5ec6c4809ab4700fe6b8bd819.shtml。

文字工作委员会及其办公室作为国家通用语言文字法的专责部门，并合理划定它的职能。具体职能可以参考《宁夏回族自治区实施〈中华人民共和国国家通用语言文字法〉办法》（2021）第 3 条第 2 款的规定，"县级以上人民政府设立的语言文字工作委员会在本级人民政府的领导下，履行下列职责：（一）宣传国家通用语言文字法律、法规和规章……"。其四，在经费保障上，规定推广普通话和规范汉字的专项经费，保障这项工作的长效开展。

（二）明确少数民族语言文字使用的具体情形

关于少数民族语言文字的使用，除西藏、新疆制定了专门的立法性决定之外，主要是由自治州、自治县的单行条例进行规定，如《延边朝鲜族自治州朝鲜语言文字工作条例》（2023）、《黄南藏族自治州藏语言文字工作条例》（2023）、《马边彝族自治县彝族语言文字条例》（2019）等。分析这些单行条例的内容，发现它们并未就少数民族语言文字的使用界限做出清晰规定。从《国家通用语言文字法》的修订来看，这主要涉及国家通用语言文字和少数民族语言文字"双语使用"的共存情形。

少数民族语言文字的使用包含两种情况：一种是单独使用，一种是与国家通用语言文字一起的"双语使用"。关于前者，由于立法只对公共场合而不对私人场合的语言使用进行规范，那么在"国家通用语言文字"优先使用的前提下就不存在对少数民族语言文字单独使用进行规范的情况。关于后者，需要法律明确规定"双语使用"的情形。这些情形主要出现在政府网站、政策执行、教育培训、广播影视、广告布告、旅游服务、科普宣传等领域。在构成要件上，"双语使用"应满足两个基本条件，否则应该单独使用"国家通用语言文字"：其一，地域条件应限制为民族聚居地区；其二，场景条件应满足"实际所需"。例如，人民法院、人民检察院在民族聚居或者多民族居住的地区审理和检察案件，对于不通晓当地通用语言文字的诉讼参与人，应当为其提供翻译；应当根据实际需要，在法律文书中使用当地通用的一种或者几种文字。针对在"民族传统文化活动使用少数民族语言文字"的情况，也应该将其列入"双语使用"的范围。据此，建议《国家通用语言文字法》的修订应该在保障国家通用语言文字优先使用的原则下，按照"地域限制＋实际所需"的构成要件明确少数民族语言文字和国家通用语言文字共同使用的场合。

（三）规定国家机关、教育机构和其他公共服务行业工作人员的语言资质条件

目前，越来越多新修订的地方性立法对此问题进行了规定。例如，《内蒙古自治区实施〈中华人民共和国国家通用语言文字法〉办法》（2021）根据习近平总书记关于铸牢中华民族共同体意识的重要论述做了很好的示范性规定。其第 19 条不仅明确了国家机关工作人员、教师资格申请人、学校和其他教育机构的教师、广播电视台播音员、特定岗位人员，以及高校、中等职业学校毕业生等的普通话水平等级标准，而且排除了例外规定，增强了立法的刚性，值得参考。例如，针对公共服务行业的广播员、解说员、话务员、导游等特定岗位人员，该办法要求达到二级甲等以上的水平。《山西省实施〈中华人民共和国国家通用语言文字法〉办法》（2021）第 19 条也有类似的规定，可资借鉴。建议《国家通用语言文字法》的修订应当将这些特殊行业的工作人员的普通话水平等级标准予以明确规定，以实现法律可执行的刚性要求。

（四）配齐少数民族学校教授国家通用语言文字的教材、师资和设备

绝大多数地方的《国家通用语言文字法》实施办法对"配齐少数民族学校教授国家通用语言文字的教材、师资和设备"缺乏详细的、具有可操作性的规定。除此之外，在地方教育立法中，《云南省少数民族教育促进条例》（2013）、《黑龙江省民族教育条例》（2015）、《广西壮族自治区民族教育促进条例》（2018）等 3 部法规更多涉及补足少数民族语言文字教育短板的内容，而《内蒙古自治区教育条例》（2021）第 9 条对此事项做了示范性规定。为此，建议《国家通用语言文字法》在修改时有必要扩充现有的第 10 条的内容，通过设置专章"国家通用语言文字教育的投入和保障"，将少数民族学校儿童的国家干预、学校及其他教育机构的语文教育、国家通用语言文字的社会教育等一系列问题进行全盘考虑。具体而言，该章可以涵盖以下内容。其一，经费保障，建议根据民族地区的财力情况，建立中央财政投入的定向转移支付机制。这方面《中华人民共和国学前教育法》"第六章 投入保障"的规定可以借鉴。其二，人员保障，通过"国家公费师范生计划"或者"省公费师范生计划"定向招录面向民族地区的汉语言文学专业本科生（或者研究生），同时采用激励措施鼓励优秀教师向这些地区转移。其三，教材和多媒体资源保障，按照《全国大中小教材建设规划（2019—2022 年）》的要求，在民族地区逐步推进国家通用语言文字教材使用；同时，在"国家教育资源公共服务平台"的基础上，可以面向民族地区开辟集成化的教学共享资源，提高少数民族学校教学资源利用效率。

《国家通用语言文字法》的制定有其历史的先进性，也有一定的局限性，而它的修改完善可按照习近平总书记关于加强和改进民族工作的重要思想的要求，在处理好国家通用语言文字与少数民族语言文字的关系上下功夫，确认国家通用语言文字的主体地位（或者优先地位），明确少数民族语言文字使用的具体情形，规定国家机关、教育机构和其他公共服务行业工作人员的语言资质条件，配齐少数民族学校教授国家通用语言文字的教材、师资和设备，真正让这部法律成为国家通用语言文字保护和传承的根基。

参考文献

安德烈亚斯·威默　2019　《国家建构：聚合与崩溃》，叶江，译，上海：格致出版社。

曹德和　2011　《如何界定普通话的内涵和外延》，《安徽大学学报（哲学社会科学版）》第 1 期。

常　安　2021　《论国家通用语言文字在民族地区的推广和普及——从权利保障到国家建设》，《西南民族大学学报（人文社会科学版）》第 1 期。

陈　斌　2021　《论语言的国家塑造与宪法意义》，《法律科学》第 5 期。

国家语言文字工作委员会　2021　《2020 年中国语言文字事业和语言生活状况》，《语言与翻译》第 2 期。

黄德宽　2010　《〈国家通用语言文字法〉的"软法"属性》，《语言文字应用》第 3 期。

黄慧英　2023　《民族地区国家通用语言文字教育调研报告》，《中国民族教育》第 4 期。

黄龙光，杨　晖　2023　《语言助力乡村振兴的内在逻辑与实践路径》，《语言战略研究》第 5 期。

黄　行　2010　《国家通用语言与少数民族语言法律法规的比较述评》，《语言文字应用》第 3 期。

暨爱民　2016　《国家认同建构：基于民族视角的考察》，北京：社会科学文献出版社。

焦开山，郭靓雯　2021　《少数民族群体国家通用语言使用情况与国家认同研究——基于云南民族地区的抽样调查研究》，《西南民族大学学报（人文社会科学版）》第 1 期。

康翠萍，宁　爽　2022　《国家通用语言文字政策的演变逻辑与功能定位——基于〈国家通用语言文字法〉实施以来的政策内容考察》，《民族教育研究》第 3 期。

李瑞华，徐　福，陈婷丽　2021　《我国少数民族学前儿童国家通用语言教育：政策干预与实践思考》，《民族教育研究》第 4 期。

……

（因版面不足，以下参考文献从略，可在中国知网上阅读、下载完整版）

责任编辑：魏晓明

当代俄罗斯的语言立法与语言关系发展*

何俊芳，郭亚星

（中央民族大学　民族学与社会学学院　北京　100081）

提　要　语言立法是对语言的地位、权利、使用、发展、保存和保护等进行调节的法律行为，是国家语言政策和语言规划在法律形式上的集中体现。俄罗斯的语言立法具有一定的典型性，相对较为完整和系统，既有国家层面的《俄罗斯联邦宪法》和《俄罗斯联邦国语法》《俄罗斯联邦民族文化自治法》等专项立法；也有地方层面各共和国的相关立法。长期以来，俄罗斯的语言关系中存在着一些较为突出的问题，如对各共和国国语的学习应遵循义务性还是自愿性原则规定不明确，联邦官方将"母语"等同于民族语言为某些共和国提供了法律操作的借口，等等，这些问题导致某些地区出现语言争端。从俄罗斯的语言立法和语言关系发展情况看，在多民族国家的语言建设中，应通过法治化建设为国家通用语的推行提供法律依据和保障，并在实行双（多）官方语言的自治地方坚持国家通用语的主导地位和应有的语言秩序。

关键词　语言立法；语言关系；俄罗斯

中图分类号　H002　**文献标识码**　A　**文章编号**　2096-1014（2025）01-0054-08

DOI　10.19689/j.cnki.cn10-1361/h.20250105

Language Legislation and the Development of Language Relations in Contemporary Russian Federation

He Junfang and Guo Yaxing

Abstract　Nowadays many countries around the world have enacted language legislation in various forms. Language legislation is an important legal act for the regulation of the status, rights, use, and relationships of languages. This study focuses on language legislation in the Russian Federation. Language legislation of the Russian Federation is typical, with both nation-level special legislation and local-level related legislation, making its language legislation relatively complete and systematic. However, there have long been some prominent issues in Russia's language relations, such as the question of whether the learning of the national language of republics should adhere to the principle of obligation or voluntariness, and the problems brought about by equating "mother tongue" with ethnic language at the official level of the Russian Federation. The aforementioned issues have been resolved through the revision of the Education Law in the Russian Federation, but some other problems still exist. In conclusion, the development of language legislation and language relations in contemporary Russian Federation enlightens us that in the linguistic construction of multi-ethnic nations, a legal governance approach should be adopted to safeguard the use and development of the national common language and other languages, and to maintain the dominant position of the common language and the appropriate linguistic order.

Keywords　language legislation; language relations; the Russian Federation

---

　　*　作者简介：何俊芳，女，中央民族大学教授，北京大学铸牢中华民族共同体意识研究基地兼职研究员，主要研究方向为民族社会学和语言社会学。电子邮箱：hejf@vip.sina.com。郭亚星，男，中央民族大学在读博士研究生，主要研究方向为应用社会学。电子邮箱：guyaing@163.com。

　　国家社科基金一般项目"当代俄罗斯联邦的国语政策、语言关系与国家认同的建构及启示研究"（24BMZ113）。

　　语言立法是对语言的地位、权利、使用、发展、保存和保护等进行调节的法律行为，是国家语言政策和语言规划在法律形式上的集中体现（何俊芳 2003：28）。从世界各国的语言立法情况看，一些国家仅在宪法中对语言的地位和权利做出简要规定，另一些国家则除宪法外，还制定专门的语言法，对不同语言的地位、权利和使用范围等做出更加明确、具体的法律规定。相比较而言，对某种或几种语言从国家层面进行专项立法的情况并不是特别多见，而在一国之内制定的地方性语言法规或语言条例等则更常见一些（周庆生 2003：53）。俄罗斯联邦（以下简称"俄罗斯"）的语言立法具有一定的典型性，相对较为完整和系统，既具有国家层面对联邦国语和民族语言的立法，又有地方层面的相关语言立法，对语言关系的调节产生着重要影响。

　　目前，国内有关当代俄罗斯语言政策的学术成果较多（齐桂波 2014；李迎迎 2016；周朝虹 2016；张丽娜 2017；赵留，赵蓉晖 2019；贾汇丽 2020；左凤荣 2022），有关语言立法的相关研究也多散见于这些成果中，但还未见到对俄罗斯国家及地方层面相关语言立法的系统梳理，也未见到把语言立法与语言关系结合起来进行探讨的研究。因此，本文拟在梳理俄罗斯联邦层面和地方层面有关联邦国语、共和国国语及其他民族语言相关立法的基础上，阐述俄罗斯语言关系中存在的主要问题，以便为中国学界及相关部门了解俄罗斯的语言立法状况、处理语言问题方面的策略及相关问题提供参考。

一、联邦层面有关语言的立法

（一）有关联邦国语俄语的联邦立法

1. 俄语作为联邦国语法律地位的确立和巩固

　　沙皇俄国历史上长期把俄语作为官方语言推行，但直至 1906 年才在《国家基本法》中首次赋予俄语明确的法律地位，规定"俄语是全国性的语言，在军队中的使用是义务性的，在海军和所有国家及社会机构中的使用都是必须的"（第 1 节第 3 条）。[①]之后，在整个苏联时期，俄语虽然在事实上也保持着国家官方语言的地位，但在法律上并未有明确规定。

　　1991 年 10 月 25 日，俄语在《俄罗斯苏维埃联邦社会主义共和国民族语言法》（以下简称《俄罗斯民族语言法》）中首次被赋予联邦国语的地位。该法总则第 3 条第 2 款中规定："按照业已形成的历史、文化传统，俄语是俄罗斯各民族族际交际的基本工具，在俄罗斯全境具有俄罗斯国语的地位"（参见杨艳丽 1995）。之后，"俄语是俄罗斯全境的国语"被写入 1993 年颁布的《俄罗斯联邦宪法》（以下简称《俄罗斯宪法》）（第 68 条第 1 款）。[②]俄语的国语地位从此具有了宪法层次的法律依据和保障，这进一步巩固了俄语作为联邦国语的法律地位。

　　2020 年 7 月，全民公决通过的《俄罗斯宪法》修正案将上述第 1 款修改为："俄语是俄罗斯全境的国语，是作为俄罗斯各平等民族组成的多民族联盟的国家民族的语言。"[③]可见，该条款除重申了俄语是俄罗斯全境的国语外，新增的内容还从宪法上将俄语确定为俄罗斯"国族"的语言。

2. 有关联邦国语俄语的专项立法

　　20 世纪 90 年代，由于新独立的俄罗斯在政治、经济和语言文化秩序方面处于重构期，国家整合

---

① 参见：https://nnov.hse.ru/ba/law/igpr/fundgoszak1906。

② 参见：https://legalacts.ru/doc/Konstitucija-RF/。

③ 参见：https://konstitutsiia.ru/polnyj-spisok-popravok-v-konstituciyu-rf-po-statyam。

乏力，联邦政府被迫放弃苏联时期在教育、语言、文化生活等领域高度集权的做法，允许各共和国确定其国语及建立自己的民族语言政策。这使得俄语的使用和发展在一些地区受到了一定冲击，如公民掌握俄语的水平下降、俄语作为族际交际语的功能受限等。2000 年后，随着综合国力的增强，俄罗斯对其语言政策进行了调整，从国家层面对联邦国语进行了专项立法，并于 2005 年颁布了《俄罗斯联邦国语法》（以下简称《国语法》），[①] 这为俄语在全国范围内的推行、普及、规范使用、保护和发展提供了更为具体的法律依据。

《国语法》共分为 7 个部分，其内容涉及作为一部专项法律的方方面面。从宗旨看，该法序言指出："本联邦法旨在保障国语在俄罗斯全境的使用，保障俄罗斯公民使用联邦国语、保护和发展语言文化的权利。"关于俄语作为联邦国语的重要作用和意义，该法第 1 章第 4、5 条强调：俄罗斯国语有助于俄罗斯统一多民族国家中各民族间的相互理解，加强各民族间的联系；对俄语作为俄罗斯国语的保护和支持有助于增添和相互丰富各民族的精神文化。

关于必须使用国语的范围，《国语法》第 3 章第 1 条 1 ～ 11 款做出了详细的规定，包括各级各类国家权力机构和地方自治机构开展的所有活动中，还包括所有的机构命名、选举和公民投票的筹备和举办、司法诉讼程序、正式公布的国际条约和法律及其他规范性文件、地名和路标的书写、证件办理、大众信息产品、广告以及其他领域。

同时，《国语法》规定在上述条款规定的范围内使用联邦国语时，应遵守现代俄语标准语的规范，[②] 而这些规范应由俄罗斯政府根据政府俄语委员会的建议批准（第 1 章第 3 条）。

另外，《国语法》第 4 章就保护和支持俄罗斯国语方面国家权力机关应该负责的事项做出了明文规定，如要求制定并通过联邦法律、俄罗斯其他规范法律文件，制定并实施旨在保护和支持俄罗斯国语为目标的国家纲要；实施遵守联邦国语法的监督及制定其他措施保护和支持联邦国语；等等。

总之，这一专项法律的颁布，不仅是对联邦国语地位的进一步巩固，也标志着俄罗斯有关联邦国语的相关工作迈入了法治化的轨道，为俄语在政治、文化教育等各个领域中更好地行使其职能提供了有力的法律保障。

综上，《俄罗斯民族语言法》（1991）、《俄罗斯宪法》（1993）、《俄罗斯国语法》（2005）及《俄罗斯宪法》修正案（2020）等相关法律对俄语联邦国语地位的确立和巩固，为在俄罗斯全境推广俄语提供了健全的法律依据及法律保障。

（二）有关民族语言的立法

苏联解体虽有着极其复杂的因素，但没有处理好俄语语言文化与其他民族语言文化之间的关系问题是其中重要的因素之一（何俊芳 2017）。因此，俄罗斯汲取苏联时期的经验教训，在语言关系中一直都十分重视民族语言保护和发展的法制化建设。

1. 有关民族语言的专项立法

1991 年 10 月 25 日，俄罗斯颁布了《俄罗斯民族语言法》，该法序言指出："本法旨在为俄罗斯各民族语言的保留及平等和独立发展创造条件""国家在俄罗斯全境促进民族语言、双语制和多语制的发展"；同时还指出，俄罗斯各共和国可以规定本共和国国语的地位（参见杨艳丽 1995）。该法的其

---

① 参见：https://legalacts.ru/doc/federalnyi-zakon-ot-01062005-n-53-fz-o/。
② 根据《国语法》，现代俄语标准语的规范是指规范性词典、手册和语法书中规定的使用语言的规则。《国语法》同时强调，俄语作为俄罗斯国语使用时，不得使用不符合现代俄语标准语规范的词语与表达式，但不包括俄语中没有通用对应词的外来语（第 1 章第 6 条）。

他条款中，分别对各民族语言的法律地位、权利，在俄罗斯最高权力机关和管理机构中的使用，在国家机关、组织、企事业单位活动中的使用，以及国际间和各共和国之间的语言使用等等做出了比较明确细致的规定。

除上述《俄罗斯民族语言法》中有关共和国国语和民族语言的相关规定外，《俄罗斯宪法》第68条第2款规定："共和国有权确定自己的国语。在共和国的国家权力机关、地方自治机关和国家机构中，共和国国语和俄罗斯国语一起使用。"第68条第3款规定："俄罗斯保障所有民族保存母语的权利，并为其学习和发展创造条件。"[1]另外，《国语法》第1章第7条指出："俄罗斯国语使用的必须性不能解释为否定或限制俄罗斯各共和国国语和俄罗斯各民族语言使用的权利。"

可见，以上联邦法律不仅明确了俄语的国语地位，也赋予各共和国确定自身国语的权利，同时也表明尊重其他少数民族保存和发展本民族语言的权利，并为其学习和发展创造条件。

2. 有关散居民族语言的立法

除上述《俄罗斯民族语言法》《俄罗斯宪法》《国语法》及各共和国的语言法涉及对联邦国语和共和国国语及其他民族语言之间的关系进行协调外，为满足居住在自治实体外数千万散居民族成员保护民族语言和文化方面的需求，俄罗斯于1996年6月17日还正式颁布了《俄罗斯联邦民族文化自治法》（以下简称《民族文化自治法》），把民族文化自治视为少数民族实现其自身语言、文化权利的有效形式之一（何俊芳，王莉2012）。

《民族文化自治法》[2]第3章为"确保保存、发展和使用母语（本族语）的权利"的专章。其中规定，为了保障公民接受教育和学习时的语言选择权以及用民族语言获得基础公共教育的权利，民族文化自治组织拥有一系列特殊权利。在学校建立及培训方面：在那些用民族语言进行教学和培训的机构中，建立私立的学前教育机构或学习小组；建立私立的用民族语言进行教学的普通教育、职业教育和高等教育机构，以及用民族语言教学的其他私立教育机构；为私立教育机构组织培训及为师范类、其他工作者进行补充性职业教育。在教学和教育立法方面：参与制定由民族文化自治组织建立的教育机构实施的教学大纲，出版教材、教学参考书和那些为了保障用民族语言获得教育权必需的其他教学资料；在制定用民族语言和其他语言实施的联邦国家教育标准、联邦国家规章以及示范性的基础教育大纲时，参与相应的教育立法等。可见，俄罗斯在法律上赋予了本国散居民族在保护和传承民族语言文化方面一定的自主权，为其语言文化的保存和发展提供了一定的额外可能性。

总之，从俄罗斯的语言立法情况看，从联邦层面对联邦国语、共和国国语和其他民族语言的使用、保护和发展以及语言之间关系的协调是比较全面的。《国语法》出台后，新修订的《俄罗斯民族语言法》进一步细化和明确了民族语言可以同联邦国语一起使用的场合和条件，进一步理顺了联邦国语和共和国国语、其他民族语言在各级各类国家权力机构、地方自治机构、大众传媒、广告等不同领域中使用的秩序。

二、共和国层面的语言立法

在共和国层面，苏联解体之前就有图瓦（1990）、楚瓦什（1990）、卡尔梅克（1991）3个共

---

① 参见：https://legalacts.ru/doc/Konstitucija-RF/，https://konstitutsiia.ru/polnyj-spisok-popravok-v-konstituciyu-rf-po-statyam。

② 该法在2022年进行了修订，最新修订版本参见：https://legalacts.ru/doc/federalnyi-zakon-ot-17061996-n-74-fz-o/。

和国颁布了自己的语言法。之后又有布里亚特（1992）、科米（1992）、鞑靼斯坦（1992）、哈卡斯（1992）、萨哈（雅库特）（1992）、阿尔泰（1993）、阿迪格（1994）、卡巴尔达-巴尔卡尔（1995）、马里埃尔（1995）、卡拉恰伊-切尔克斯（1996）、印古什（1996）、莫尔多瓦（1998）、巴什科尔托斯坦（1999）、乌德穆尔特（2001）、车臣（2007）等 15 个共和国颁布了自己的语言法或民族语言法或国语法，确定了其国语与其他语言之间的法律关系。另外，达吉斯坦、卡累利阿、北奥塞梯-阿拉尼亚 3 个共和国没有颁布专门的语言法，但在其宪法中对国语情况进行了规定。

从俄罗斯各共和国的语言立法情况看，卡累利阿是唯一没有确定本共和国国语，实行俄语为唯一国语制的共和国；另外，阿迪格、阿尔泰等 16 个共和国实行俄语 + 1 种共和国主体民族语言的双国语制度；卡巴尔达-巴尔卡尔和莫尔多瓦 2 个共和国实行俄语 + 2 种共和国民族语言的三国语制度；还有如卡拉恰伊-切尔克斯的国语制度为俄语 + 4 种民族语言，达吉斯坦的国语制度为俄语 + 14 种民族语言。

另外，其他一些民族自治地方通过自己的章程和法律，确定了其境内的民族语言为当地的官方语言（如卡累利阿规定卡累利阿语、芬兰语、维普语为本共和国的官方语言）；而一些共和国还同共和国国语一起将居住在境内的一些人口较少民族的语言确定为官方语言〔如萨哈（雅库特）的多尔干语、楚科奇语、尤卡吉尔语、埃文克语和埃文语〕。

从各共和国颁布语言法的时间看，除车臣外，其他共和国均早于《国语法》。因此，《国语法》的出台实际上也是为了更好地协调联邦国语与其他语言特别是各共和国国语之间的关系，保障联邦国语的使用与发展。

三、语言关系中长期存在的主要问题

在俄罗斯的语言关系中存在着多组关系问题。从国家层面看，有联邦国语俄语与各共和国国语、其他民族语言之间的关系问题；从共和国层面看，有各共和国国语与俄语、其他民族语言之间的关系问题；等等。在这多组关系中，长期以来最突出的问题之一是，在各共和国，对于非共和国冠名民族的成员而言，学习该共和国国语究竟应该遵循义务性原则还是自愿性原则，以及如何分配课时。另外，在俄罗斯官方层面，将"母语"等同于各民族的民族语言而带来的问题也较为突出。

（一）关于学习共和国国语的问题

《俄罗斯宪法》规定，公民有使用母语的权利和自由选择交际、教育、教学和创作所使用语言的权利，这些权利由民族语言法、民族文化自治法和教育法等相关的联邦立法具体规定。但对于共和国国语的学习应该是遵循义务性还是自愿性原则，在《俄罗斯宪法》中并没有明确规定。

《俄罗斯宪法》赋予了共和国确定自己国语的权利（第 68 条第 2 款）。《俄罗斯联邦教育法》（以下简称《俄罗斯教育法》）进一步规定，在各共和国境内"可以根据俄罗斯联邦共和国的法律，引入各共和国国语的教授和学习"，但同时规定"各共和国国语的教授和学习不应损害联邦国语俄语的教授和学习"（第 14 条第 3 款）。[①]另外，《俄罗斯教育法》还规定各共和国国语的教授和学习（以及学习母语及用母语接受教育）一样受联邦国家教育标准（第 14 条第 3、4 款）规定的约束；但联邦国家教育标准并没有规定必须学习各共和国的国语，与此相关的决定由各共和国的教育机构自行决定。

在教育实践中，各共和国对自身国语的教授和学习要求有很大不同。一些共和国的国语是选修

---

① 参见：https://legalacts.ru/doc/273_FZ-ob-obrazovanii/。

课，在另一些共和国则是必修课，而且在课时分配上也相差很多。如根据《鞑靼斯坦共和国民族语言法》（1992），幼儿学前机构、普通教育学校、中等教育和中等特殊教育机构同等程度地教授共和国国语鞑靼语和俄语（第 10 条第 2 款）。此后，该法历经多次修订和补充（其名称也变更为《鞑靼斯坦共和国的国家语言和其他语言法》），①但在普通教育机构和职业教育机构中等量学习鞑靼语和俄语的要求长期存在，并不符合联邦国家教育标准，且影响到了俄语的学习。这引起了部分俄罗斯族人和其他民族的学生及家长的强烈不满，他们定期举行街头抗议，并成立网络俄语社区进行抗议，一些俄罗斯族人甚至离开鞑靼斯坦，以使他们的孩子能够充分学习俄语（Арутюнова Е. М. 2019）。因此，等量学习鞑靼语和俄语的规定使得鞑靼斯坦的语言冲突一直最为突出。与此相似的还有巴什科尔托斯坦等共和国。而在那些没有明确规定学习共和国国语为义务或学习共和国国语时间比例的共和国中，语言矛盾并不明显。

在早期涉及语言冲突的法律实践中，如 2004 年俄罗斯宪法法院针对鞑靼斯坦公民就强制学习鞑靼语的诉讼做出裁决，确认共和国有权强制公民学习其国语（Арутюнова Е. М. 2019）。根据该文件，鞑靼斯坦关于等量学习鞑靼语和俄语的语言及教育立法标准，并不违反《俄罗斯宪法》；尽管同时提出"这项要求不应是绝对的"，在执行这项标准时，要考虑到非母语学生的需求，必须采取"区别对待"的做法，以便不影响他们获得基础教育证书以及接受更高水平教育的权利。另外，在其他如楚瓦什和科米等共和国有关学习共和国国语的诉讼中，也同样得出强制学习相关共和国国语不违反《俄罗斯宪法》、联邦教育法和共和国宪法及相关法律的决定。但在另一些共和国〔阿尔泰、阿迪格、萨哈（雅库特）、图瓦〕，根据法院的裁决，共和国有关必须学习国语的地区法律被废除。总体而言，2018 年前在各共和国法院所审查的有关义务学习共和国国语问题的诉讼中，法院的主要立场可概括如下：（1）义务学习是共和国的权利；（2）义务学习限制了公民基于民族或语言的权利；（3）学习各共和国国语的问题属于教育内容，而这不属于各共和国的管辖范围（Тишков В. А. 2019）。

总之，从法律的角度看，俄罗斯各共和国有关学习共和国国语是不是义务性的情况不能一概而论，缺乏统一性。为了进一步落实《国语法》及《俄罗斯教育法》中有关学习共和国国语不应损害联邦国语的教授和学习（第 3 条）的规定，俄罗斯于 2018 年 8 月通过了《俄罗斯教育法》第 317-ФЗ 号修正案，②其核心内容之一是学生可以自由选择是否学习共和国国语。该法生效后，各共和国对其教育法也做出了相应的调整，使得这一突出问题得到化解。③

（二）将"母语"等同于民族语言带来的问题

何为"母语"，在国际上众说纷纭（戴庆厦，何俊芳 1997）。俄罗斯的《社会语言学术语词典》给出了"母语"的 4 种定义：（1）母亲的语言（"摇篮语"）；（2）民族语言（этнический язык），不论是否熟练；（3）功能性第一语言（使用的主要语言）；（4）民族语言（национальный язык），除俄语之外的任何俄罗斯联邦民族（народ）的语言。④

上述第 4 种解释似乎是荒谬的，但是它在俄罗斯的社会政治实践中，甚至在科学语言、官方文件中，一直广为应用，如《民族文化自治法》等法律将民族语言标注为"母语"〔即 национальные

---

① 参见：https://docs.cntd.ru/document/424031955。

② 参见：http://duma.gov.ru/news/27720/.。

③ 如目前鞑靼斯坦已取消了学校教育中等量学习鞑靼语和俄语的规定，并将对鞑靼语的学习区分为作为鞑靼语学校的母语（鞑靼语）、俄语学校的母语（鞑靼语）和俄语学校的共和国国语（鞑靼语的简化课程）3 种形式进行学习。

④ 参见：https://sociolinguistics.academic.ru/607/。

〔родные) языки〕等。就是说，根据俄罗斯的法律，"母语"的概念适用于除俄语外的所有俄罗斯民族语言。因为俄语具有联邦国语的地位，因此反而不具有母语地位。这种法律解释为鞑靼斯坦等民族共和国提供了法律操作的借口，如在该地区，鞑靼语被宣布为俄罗斯族儿童的母语，学校课程中给俄罗斯族学生分配的学习母语的时间被强制用于学习鞑靼语，结果引起了语言争端。《俄罗斯教育法》修正案规定学生（或其法定代表/父母）可根据其需求学习母语，包括把俄语作为母语学习，即承认俄语也有权被视为"母语"。

的确，"母语"一般指的是相应民族的语言，但在现代条件下，随着语言转用、族际通婚等现象的大量发生，民族语言、母亲的语言和第一语言不吻合的现象十分常见，"母语"概念具有了多义性和不明确性。但俄罗斯这种把"母语"与"民族语言"绑定的做法，实际上限制了人们选择学习语言的权利。

目前，俄罗斯的语言关系中长期存在的以上两个最突出的问题已基本解决，但还存在一些引发民族精英不满的问题，如：（1）有的共和国将公立学校中民族语言的教学时长减少到每周 2 小时，并取消了义务学习这些语言的要求；（2）一些共和国将其国语的学习限制在普通基础教育水平以内（9 年级及以下）；（3）从联邦教育标准中取消了民族-区域组成部分；①（4）共和国国语的教授和学习至今没有单独的联邦教育标准；等等。

从上可见，在《国语法》颁布之前，针对联邦国语和民族语言之间的关系，就有《俄罗斯宪法》《俄罗斯民族语言法》《民族文化自治法》等进行协调。《国语法》颁布后，以上法律对民族语言的保存、保护和发展作用并没有降低，而是进一步理顺了俄语和民族语言特别是与各共和国国语之间的主次关系和应有的语言秩序。当然，从全国范围看，在全球一体化趋势加速和俄罗斯不断强化推广外语和联邦国语的情况下，多语言之间的竞争会更加激烈，语言关系也会更加复杂。

四、结　语

自近代以来，民族国家（nation-state）建构逐渐成为了国家建设的主要形式，其实质就是通过对国内居民进行政治、经济和语言文化方面的整合，建构起一个统一的民族共同体即"国族"。在民族国家建构的历史进程中，由于"语言具有强大的社会化力量，……这不仅是指重要社会交往难以脱离语言这一明显事实，而且是指共同的语言为特定群体的社会团结提供了极有力的象征"（爱德华·萨丕尔 2011：10）。因此，在全国范围内通过推广"共同语言"建立共同的文化认同，并进一步推动国民的政治认同，成为了各国推进国族建构、增强国家凝聚力和维护国家统一的普遍策略（菅志翔，马戎 2022）。

1991 年，俄罗斯独立建国后，也把建构新的民族共同体"俄罗斯民族"及"俄罗斯认同"作为了本国的新官方政策（何俊芳 2016）。特别是进入 21 世纪后，随着俄罗斯综合国力的增强，俄罗斯官方把强化俄罗斯多民族人民（俄罗斯民族 / российская нация）共同的公民认同和精神同一性确定为本国

---

① 根据《俄罗斯教育法》（1992～2013）的规定，学习各共和国国语的问题由这些共和国的法律管辖。除语言外，这项法律还规定各共和国有权制定普通教育国家标准的民族-区域组成部分，其中除母语外，还包括该地区的历史、文学和地理科目。民族-区域部分于 2007 年被取消，学校转向统一的联邦国家教育标准，这意味着基础教育大纲分为两部分：强制性部分（联邦部分）和由教育关系参与者（学生、家长、学校）形成的可变部分。必修部分包括俄语和文学、母语和母语文学以及外语（包括第二外语）。

民族政策的首要战略目标，同时将俄语作为加强民族团结、公民认同和建构国族的重要纽带。正是在这种大背景下，俄罗斯颁布了《国语法》，以便通过立法推进有助于巩固和加强国语地位和作用的各项工作。

从俄罗斯的语言立法及语言关系的发展情况看，我们认为在多民族国家的语言建设中应该坚持以下两点。

1.通过法治化建设为国家通用语的推行提供法律依据和保障

有学者认为，苏联作为世界历史上第一个社会主义国家，为体现民族平等和语言平等，受制于时代的局限性，未能辩证地认识到民族语言的使用、发展与通用语推广之间的关系，因此在整个苏联时期都没有建立起将俄语作为通用语推广的法律框架，这是苏联语言政策的主要失误之一（田鹏2013）。的确，为显示各族裔民族语言的平等，无论是在宪法还是在其他重要的法律文件中，苏联时期均没有关于俄语地位的任何说明，但在实践层面，却将俄语作为国家通用语、非俄罗斯族的"第二本族语"进行大力推广，这使得其他民族产生了语言同化、俄罗斯化等的普遍质疑，并对民族关系和国家认同产生了十分不利的影响。俄罗斯吸取苏联时期的教训，在其制定的国家语言政策法规中，不仅明文规定俄语具有联邦国语的地位，还不断加强其使用与发展的法制化建设问题。《国语法》的颁布与实施，为俄语作为联邦国语的全面推行提供了明确的法律依据和保障。

2.在实行双（多）官方语言的自治地方坚持国家通用语的主导地位和应有的语言秩序

对于任何多民族、多语言的现代国家而言，政府制定的语言政策法规既要顾及其他民族语言的使用和发展权利，也要坚持国家通用语在各个领域的主导地位，并明确国家通用语和其他语言之间的主次关系，只有这样才能真正做到语言领域的"多元一体"，以防范类似于俄罗斯一些共和国的国语对俄语的使用产生冲击乃至对国家建设产生负面影响。长期以来，欧洲一些国家多元文化主义政策遭遇的困境或者说其失败的根源就在于，这些国家在强调"多元"的同时未能给予"一体"应有的位置，在强调差异性的同时忽略了普遍性和同一性的存在，即这些国家始终未能处理好尊重多元文化、保障族裔利益与维护国民统一性之间的关系（王希恩2013）。

总之，俄罗斯汲取苏联民族国家建设的经验教训，在处理俄语与民族语言之间的关系方面，采取法制化治理路径，试图以立法的形式和手段，既要巩固和维护俄语作为联邦国语的地位和作用，又要保护其他民族语言的使用与发展，从而实现俄罗斯境内多语言共存与发展的和谐局面。尽管如此，俄罗斯的多语言状况，联邦国语俄语、外语与共和国国语及其他民族语言之间存在的竞争关系，使得俄罗斯的语言关系仍具有复杂性和敏感性。

<h2 style="text-align:center">参考文献</h2>

爱德华·萨丕尔　2011　《萨丕尔论语言、文化与人格》，北京：商务印书馆。

戴庆厦，何俊芳　1997　《论母语》，《民族研究》第2期。

何俊芳　2003　《关于语言法基本理论的若干问题》，载周庆生，王洁，苏金智《语言与法律研究的新视野——语言与法律首届学术研讨会论文集》，北京：法律出版社。

……

（因版面不足，以下参考文献从略，可在中国知网上阅读、下载完整版）

责任编辑：逯琳琳

描写还是解释：由ChatGPT反思语言学的两种目标[*]

袁毓林

（澳门大学　人文学院中国语言文学系　澳门　999078；北京大学　中文系/中国语言学研究中心　北京　100871）

提　要　本文在现代大语言模型语境下反思语言学研究的两种目标之争：精确描写（语言事实，how）还是科学解释（语言能力，why）？以此为中心，讨论了一系列相关的问题，并考察了ChatGPT能否捕获长距离依存、能否理解句法与语义分离的句子、对语言的科学解释与精确描写是否对立。得出的结论是：（1）ChatGPT等大模型能够超越马尔可夫过程模型，来捕获语句中不同词语之间的长距离依存关系；能够隐式地学习基本的句法和语义知识，从而理解、识别和生成语义异常的句子。（2）对语言的精确描写和科学解释并不对立，并且前者比后者更加重要。（3）生成语法学的"原则与参数"范式下的范畴语法，对于描写人类自然语言有不可克服的困难。（4）语法学的研究取向应该是语义优先，而不是句法优先。（5）大模型的成功说明：对语言事实的准确描写远比对语言能力的抽象解释更为基本。

关键词　ChatGPT；语言模型；描写/解释；语言事实/语言能力；语义优先/句法优先

中图分类号　H002　**文献标识码**　A　**文章编号**　2096-1014（2025）01-0062-13

DOI　10.19689/j.cnki.cn10-1361/h.20250106

How versus *Why*: Reflections on the Two Objectives of Linguistics by Means of ChatGPT

Yuan Yulin

Abstract　Since its public release at the end of 2022, ChatGPT has attracted worldwide attention. Much research has been conducted on the opportunities and challenges ChatGPT has brought to linguistic studies. At the same time, scholars hold different views on the roles of ChatGPT in linguistic studies. This paper begins with Norvig's (2011) argument on two competing goals in linguistic studies: descriptive accuracy (of linguistic performance, that is, how) and scientific explanation (of linguistic competence, that is, why). Centered on this issue, a series of related questions are discussed, leading to the following conclusions: (1) ChatGPT and Large Language Models (LLMs) can surpass Markov Process Model to capture long-distant dependency holding between different words in a sentence. They can implicitly learn basic syntactic and semantic knowledge, enabling them to understand, recognize, and generate semantically anomalous sentences. (2) Descriptive accuracy and scientific explanation do not contradict each other, and the former is more important than the latter in linguistic studies. (3) Categorical grammar within the "principles and parameters" paradigm of generative grammar faces insurmountable difficulties in describing human natural language. (4) The approach of grammar study should prioritize semantics over syntax. (5) The success of LLMs shows that the descriptive accuracy of linguistic performance is far more basic than abstract explanation of linguistic competence.

---

　　* 作者简介：袁毓林，男，澳门大学教授，主要研究方向为理论语言学和汉语语言学。电子邮箱：yuanyl@pku.edu.cn。

　　本文得到澳门大学讲座教授研究与发展基金（CPG2024−00005−FAH）和启动研究基金（SRG2022−00011−FAH）支持。承蒙编辑部和匿名审稿专家指正，谨致谢忱。

Keywords　ChatGPT; language model; description/explanation; linguistic performance/linguistic competence; semantic priority/syntactic priority

一、引言：语言模型的成功值得语言学家反思

2022 年 11 月 30 日，这也许是一个值得语言学人永远记住的日子：在这一天，美国人工智能机构 OpenAI 发布了 ChatGPT，这是一款以聊天机器人形式呈现出来的人工智能系统，它仿佛真的能够理解和生成人类自然语言；因此，也有可能动摇主宰当代语言学的某些理论假设或研究信念。不信的话，你可以试着跟它像朋友一样问答聊天和争辩纠正，看看期间有没有什么违和感。比如，下面是 2023 年 5 月 4 日笔者跟它的一段对话：

笔者：澳门跟广州之间有直达火车吗？

ChatGPT：是的，澳门和广州之间有直达火车。目前，澳门与广州之间的高速铁路连接已经建成并运营。您可以从广州南站、广州火车站或广州东站乘坐高铁到达澳门，车程约为 1～2 个小时。不过需要注意的是，因为疫情等因素，火车班次和运行时间可能会有所调整，请您提前查询具体信息并遵守当地的旅游和防疫规定。

笔者：据我了解，澳门和广州之间没有火车。请问，乘汽车方便吗？

ChatGPT：非常抱歉，我的之前的回答有误。您所说的是正确的，目前澳门和广州之间没有直达火车。不过，您可以选择乘坐汽车前往澳门，这是一种比较方便的交通方式。您可以从广州的多个汽车客运站出发，前往澳门旅游。从广州的天河客运站或广州汽车客运站出发，到澳门口岸的车程约为 3～4 小时左右，票价在 100～200 元之间。此外，您也可以选择在珠海或横琴岛口岸下车，然后乘坐轮渡前往澳门。但需要注意的是，由于疫情等原因，旅行前最好提前查询相关信息，并遵守当地的旅游和防疫规定。

正如 OpenAI 网站上所介绍的："对话格式使得 ChatGPT 能够回答后续问题、承认错误、挑战不正确的前提，并拒绝不适当的请求。"[①] 然而，该语言模型也存在许多严重的问题，比较突出的是"一本正经地胡说八道"，即出现"幻觉"（hallucination）。这也是大语言模型目前遭受批评的一个普遍性问题。因为，大模型是一种具有众多参数和复杂计算结构的机器学习系统，经过海量自然语言文本等数据的训练，来预测用户给定的文本后面的下一个词语，依此推进，最终生成符合人类语言习惯的文本。至于这个文本的内容的真实性，则是无法保证的。也就是说，它只能基本上保证语法正确（合式的，well-formed），但是并不能够保证内容的正确和可靠（可信的，trust）。

但是，不管怎么说，"让机器理解人们向它发出的自然语言指令"，这个自然语言处理和计算语言学多少年来梦寐以求的目标，似乎已经初步达成。大家可能记得，以前的人工智能系统基本上是各有专长的专家系统，分别擅长图像分类、人脸识别、语音分析、目标检测、机器翻译、语言理解等特定任务。但是，ChatGPT 却像一个全能的"X 战警"，不仅能够聊天和回答问题，而且还能够编程序、写文章、做攻略、画表格、列算式、解方程……以一种近似人类水平的通用人工智能的姿态，掀起新一轮生成式人工智能的热潮：从生成创意内容到协助科学研究，带动大语言模型逐步融入我们的学习、工作、科研和日常生活。这就难怪它这么受到大众用户的欢迎和热捧：ChatGPT 问世后仅仅两

---

① 详见《行业洞察 | OpenAI 超级对话模型 ChatGPT 发布》，https://new.qq.com/rain/a/20221206A094YW00。

个月，月活跃用户数就成功破亿，成为 IT 产品史上月活用户数最快过亿的消费级应用。这也意味着 ChatGPT 等大语言模型，除了为人们的语言交往和信息交流提供新的动力和趣味之外，还在改变相关行业（比如教育）、简化工作流程（比如招聘）、创造新的产品和艺术内容（比如药品和动漫）；甚至重新开启我们对于技术的异想天开式的期望，走向创造一种人类跟机器可以像人跟人一样亲密无间交流的梦幻般未来。

想一下吧！近在 10 年前，有关业内人士还在壮胆式地高喊："自然语言处理是人工智能皇冠上的明珠。"没想到，现如今人类似乎已经把这颗璀璨的明珠妥妥地收入囊中了。好事来得实在太快，对此，我们语言学人如果不做出一些反思，无论是关于语言的认识论，还是关于语言学的方法论，好像都说不过去。因为，ChatGPT 等大语言模型首先是关于语言的计算模型；其次，它采用的是不被语言学家看好的基于统计的概率方法。比如，早在 1950 年代人工智能概念刚刚提出的时候，彼时的新锐语言学家乔姆斯基已经声称：基于统计的概率模型不能真正刻画自然语言（Chomsky 1956，1957）。于是，问题就来了：不能刻画自然语言的概率模型，何以能够在语言生成和理解方面都有如此杰出的表现呢？诸如此类的问题，都是在当下 ChatGPT 等大模型高歌猛进的语境下，具有理论兴趣的语言学家应该思考的问题，更是正在规划自己未来的职业生涯的研究生们必须直面和正视的问题。

为此，我们下面将分别介绍 60 多年来乔姆斯基对基于统计概率的语言模型的持续质疑，以及人工智能专家 Norvig（2011）对他的评论；其中，重点讨论下列语言学理论与计算处理的关键问题：（1）现代大语言模型能不能超越有限状态的概率转移，来捕获语句中不同词语之间的长距离依存关系？（2）现代大语言模型能不能理解和识别 "colorless green ideas sleep furiously"（Chomsky 1956：116）之类经典的句法合格但语义异常的句子？（3）对语言的 "精确描写" 和 "科学解释" 是否对立？哪一个更加重要？（4）生成语法学的 "原则与参数" 范式下的范畴语法，对于描写人类自然语言有没有不可克服的困难？（5）语法学的研究取向应该是 "句法优先" 还是 "语义优先"？（6）语言学家可以从语言大模型的成功中获得什么样的经验与教训？

二、乔姆斯基对概率模型的持续质疑

ChatGPT 虽然炫酷，甫一出世就技惊四座；但是，说到底 ChatGPT 等大语言模型都只是一种人类自然语言的可计算数学模型。于是，以研究人类自然语言的结构和功能为志业的语言学家应该是 "与有荣焉" 了吧？很不幸，答案是否定的。因为 ChatGPT 等大模型不仅绕开了包括生成语法理论在内的最前沿的现代语言学理论模型（详见 Piantadosi 2023），而且使用的恰恰是几十年前被乔姆斯基判了死刑的基于统计的概率模型。比如，Chomsky（1956：113）在摘要中开宗明义地指出：

> 通过从一个状态到另一个状态的转移来产生符号的有限状态马尔可夫过程（finite-state Markov process）不能充当英语语法。并且，随着 n 的增加，产生英语 n 阶统计近似的此类过程的特定子类，并不会更接近地匹配英语语法的输出。

Chomsky（1957：17）毫不含糊地指出：

> 我认为，我们不得不得出结论：……概率模型（probabilistic model）没有对句法结构的基本问题给出任何洞见。

Chomsky（1969：57）又直截了当地指出：

> 必须认识到，"一个句子的概率" 是一个毫无用处的概念，不管从这个概念的什么意义上来

说［都是如此］。

半个多世纪以来，乔姆斯基的这一观点一直没有改变。2011 年，在麻省理工学院纪念建校 150 周年的一个讨论会上，主持人平克（Steven Pinker，哈佛大学心理系教授）向乔姆斯基发问："如何看待概率模型近年来在认知科学领域到处开花的趋势？"乔姆斯基的回应是：[①]

> 确实有许多研究工作在尝试用统计模型来解决各种各样的语言学问题。其中有一些取得了成功。但是大多数是失败的。

> 如果不考虑语言的实际结构就应用统计方法，那么所谓的成功不是正常意义上的成功。就科学研究的历史经验来说，这种意义上的成功并非主流。这就好像研究蜜蜂行为的科学家只是对着蜜蜂录像，通过记录蜜蜂的历史行为，加以统计分析，来预测蜜蜂未来的行为。也可能统计方法可以预测得很好，但这算不上科学意义上的成功。研究蜜蜂的科学家并不关心这种预测。

直到 ChatGPT 火爆出圈、名满天下，乔姆斯基依旧不改初心，在《纽约时报》上跟人合作发表文章，直言不讳地批评 ChatGPT 等机器学习系统："只是在随时间变化的概率中进行交互学习，没有提出任何因果机制或物理规律，无法解释英语语法规则；因而，其预测将总是肤浅而又不可靠的。"（Chomsky 2023）甚至在受到 Piantadosi（2023）等的猛烈批评以后，仍然在接受社会学家 Mirfakhraie 的采访时坚称："大语言模型无法阐明人类语言的习得问题，因为它们只是扫描天文数字量级数据以找到统计规律，并根据它们所分析的庞大语料库来预测在序列中可能出现的下一个单词。"（Mirfakhraie 2023）

那么，应该怎样看待乔姆斯基的这些观点呢？下面先从 Norvig（2011）说起。

三、现代大语言模型能不能捕获长距离依存关系？

对于乔姆斯基在 2011 年的研讨会上以及此前的相关观点，人工智能专家、时任 Google 公司研究主管的 Peter Norvig 撰文（Norvig 2011）提出异议。首先，他历数了基于统计的语言模型在搜索引擎、语音识别、机器翻译、问题回答、词义消歧、指代求解、词性标注、句法解析等各项自然语言处理任务上的压倒性成功（对世界做出准确的预测），说明乔姆斯基在 2011 年的那个研讨会上对统计模型的评价不符合事实。其次，他用下面这些例子来说明早期的简单的概率模型的确有问题：

（1）I never, ever, ever, ever, ... fiddle around in any way with electrical equipment.

（2）She never, ever, ever, ever, ... fiddles around in any way with electrical equipment.

（3）* I never, ever, ever, ever, ... fiddles around in any way with electrical equipment.

（4）* She never, ever, ever, ever, ... fiddle around in any way with electrical equipment.

从理论上说，无论句子中的 ever 重复多少次，都不影响（1）（2）是合语法的，而（3）（4）是不合语法的。不过，一个有 n 种状态的马尔可夫链概率模型在碰到句子中 ever 的个数超出 n 的值的时候，就分不清（1）（2）跟（3）（4）的区别了。因此，概率性的马尔科夫链模型不能处理所有的英语句子。但是，这并不意味着所有的概率模型都要遭到同样的批评。从乔姆斯基刚刚出道的 1957 年到现在，已经发展出许多概率模型。上面这 4 个例子就可以用有限状态模型来区分。此外，还有能力更强的概率上下文无关语法（PCFG），可以处理此类问题。

[①]　详见 http://languagelog.ldc.upenn.edu/myl/PinkerChomskyMIT.html。

为了测试现代大语言模型有没有理解长距离依存关系的能力，我们去掉（3）（4）句前面的星号，问 ChatGPT-4："下面 4 个句子，哪些是符合语法的，哪些是不符合语法的？为什么？"它的回答是（2024 年 1 月 10 日）：

> ChatGPT：在分析这些句子时，关键是注意动词与主语的一致性。动词应该根据主语是第一人称（I）还是第三人称（she）来调整其形式。下面是对每个句子的分析：
>
> 1. I never, ever, ever, ever, ... fiddle around in any way with electrical equipment.
> - 这个句子是**符合语法的**。主语是"I"（第一人称），因此动词使用基本形式"fiddle"。
> 2. She never, ever, ever, ever, ... fiddles around in any way with electrical equipment.
> - 这个句子也是**符合语法的**。主语是"She"（第三人称单数），因此动词使用第三人称单数现在时的形式"fiddles"。
> 3. I never, ever, ever, ever, ... fiddles around in any way with electrical equipment.
> - 这个句子是**不符合语法的**。主语是"I"，但是动词使用了第三人称单数的形式"fiddles"。正确的形式应该是"fiddle"。
> 4. She never, ever, ever, ever, ... fiddle around in any way with electrical equipment.
> - 这个句子也是**不符合语法的**。主语是"She"，但是动词使用了基本形式"fiddle"。正确的形式应该是"fiddles"。
>
> 总的来说，（1）和（2）句子是符合语法的，因为它们正确地使用了与主语相一致的动词形式。而（3）和（4）句子是不符合语法的，因为它们的动词形式与主语不一致。

可见，ChatGPT 的语言理解和生成能力都非常强，不仅懂得用户问什么，而且能够用语法学概念来分析、判断和做出说明。那么，为什么它有如此强大的语言处理能力呢？因为它采用了转换器（Transformer）这种神经网络架构，使得计算机能够通过分析文本中单词和短语之间的关系来理解、解释和生成人类语言。尤其是转换器中的注意力机制（attention），不仅专注于它当前正在处理的单词的含义，并且关注上文中跟当前词语相关的词语；从而捕获句子中不同位置上相关单词之间的关系，比如上面 4 个句子中"I/she...fiddle/fiddles"之间长距离的一致关系，无论它们中间插入了多少个 ever。[①] 正是转换器的这种构架和注意力机制，使得语言大模型能够捕获句子成分之间长距离的依存关系，以类似人类的方式聊天、写作和思考、推理；并且，不仅没有违和感，而且有时还逼真、自然得令人惊讶（详见袁毓林 2023 及其所引文献）。看来，基于统计的概率性语言模型的威力还真的不容小觑。

四、现代大语言模型能不能理解句法和语义分离的句子？

Norvig（2011）指出，每一个概率模型实际上都是一个确定性模型的超集（superset），后者只不过是将概率值严格地限定为 0 或 1 而已。对概率模型的合理批评必然是因为它们表达能力过强，而不是因为它们的表达能力不够。乔姆斯基（Chomsky 1956：116；1957：15）提出了一个著名的例子，同时也是对有限状态概率模型的一个批评：

---

① 上面的（1）（2）改编自 *The Reptile Room* 一书，原书在"A Series of Unfortunate Events"这一章中，在"ever, ever fiddle around in any way with electrical devices"之前，竟然是满满一页纸的"ever,"；详见 https://www.reddit.com/r/Damnthatsinteresting/comments/excoms/lemony_snicket_decides_to_include_a_page_in_a/。

（5）Colorless green ideas sleep furiously.（无色的绿色思想狂怒地睡觉。）

（6）Furiously sleep ideas green colorless.（狂怒地睡觉思想绿色无色的。）

尽管（5）（6）及其任何部分都未曾在说英语者的语言经验中出现过，但（5）是合语法的，（6）是不合语法的。乔姆斯基认为，没有一个 n 阶近似模型可以把这两种句子区分开来。Norvig（2011）指出，虽然就整个句子而言，乔姆斯基的判断显然是正确的；但说到句子中的"部分"，则并不尽然。下面是一些部分（二词组合）出现的例子：

（7）"It is neutral green, **colorless green**, like the glaucous water lying in a cellar." *The Paris We Remember*, Elisabeth Finley Thomas (1942)

（8）"To specify those **green ideas** is hardly necessary, but you may observe Mr. [D. H.] Lawrence in the role of the satiated aesthete." *The New Republic*, Vol. 29, p. 184, William White (1922)

（9）"**Ideas sleep** in books." *Current Opinion*, Vol. 52 (1912)

撇开关于"部分"的争议不说，实际上基于统计训练的有限状态模型可以区分上面（5）（6）两例。Pereira（2002）就提出了一个这样的模型，在增加了词类信息后，对新闻语料进行期望最大化的参数训练，计算结果是例（5）的概率为（6）的概率的 20 万倍。为了说明这不是因为这两个句子在新闻语料训练得到的模型中有如此区别，Norvig 本人用 Google 图书语料库（1800～1954）的训练模型重复做了计算，结果是例（5）的概率为例（6）的 10 万倍。如果可以在树结构的基础上计算，则对句子"合语法性程度"的估计效果会更好。而不是像乔姆斯基提出的基于范畴的语法那样，仅仅只是区分"合语法 / 不合语法"。

饶有趣味的是，赵元任先生曾经设想使不合理的组合 "Colorless green, green ideas, ideas sleep, sleep furiously" 合理化的语境（Levenson & Chao 1977：256）：

我有一个朋友，他脑子里总是充满各种想法：好的想法和坏的想法，精美的想法和粗陋的想法，旧的想法和新的想法。在把他的新想法付诸实践之前，他通常会在它们身上睡觉，让它们成熟起来。但是，有时匆忙之间，他会在想法尚未成熟之前（即它们尚在青涩之时）将其付诸实践。他的有些绿色想法相当生动、丰富多彩，但也并非总是如此，有些想法则相当平淡乏味和缺少色彩。当他想起自己的一些毫无色彩的想法仍然太青涩而无法使用时，他就会在它们身上睡觉，或者用他的话说，让它们睡觉。然而，其中有一些想法可能是相互冲突和矛盾的，当它们在同一个晚上睡在一起时，它们会发生激烈的争斗，把睡眠变成一场噩梦。因此，我的朋友经常抱怨他那**无色的绿色想法在疯狂地睡觉**。

照此说来，在句法（词类组配）合格的前提下，还真的没有绝对的语义不合格的句子。值得一提的是，Piantadosi（2023：15～16）指出，（5）通常被作为句法功能跟语义分开（而且转移性概率统计用不上）的例子。有趣的是，ChatGPT 不仅可以学习相关的统计数据，而且可以解释这句话为什么有趣：因为这是一个语法正确但是没有语义的句子；甚至在接到用户的仿造指令后，造出了 10 个类似的句子。下面是我们跟 ChatGPT 的对话：

笔者：下面两个英语句子符合语法吗？

1. "Colorless green ideas sleep furiously."

2. "Furiously sleep ideas green colorless."

ChatGPT：第一个句子是著名的例子："Colorless green ideas sleep furiously." 这是由语言学家诺姆·乔姆斯基（Noam Chomsky）提出的句法结构上合法但在语义上毫无意义的例子，以强调语法结构和语义意义之间的区别。第二个句子，"Furiously sleep ideas green colorless."在语法上是合法的，但它的语义可能会令人困惑。这是因为英语中通常采用主语–谓语–宾语的结构，而这个句子的结构略显不同，使得理解起来可能不那么直观。

ChatGPT 对 "Furiously sleep ideas green colorless." 的判断不正确。按照包括乔姆斯基在内的大多数语言学家的意见，这是一个在语法上也不合格的句子。我们接下来把任务改成让它造句：

笔者：请仿照 "Colorless green ideas sleep furiously."（无色的绿色观念狂怒地睡觉）造 10 个英语句子，和 10 个相应的汉语句子。

ChatGPT：Certainly! Here are 10 English sentences following the structure of "Colorless green ideas sleep furiously." And the corresponding Chinese translations:

1. Bitter cold thoughts whisper silently. 刺骨的寒冷思绪悄无声息地低语。

2. Mysterious silver dreams float gracefully. 神秘的银色梦想轻盈地漂浮。

3. Vibrant orange emotions dance wildly. 充满活力的橙色情感狂野地舞动。

4. Fragile golden memories echo softly. 脆弱的金色回忆轻声回响。

5. Enigmatic purple theories hum melodiously. 高深莫测的紫色理论悠扬地哼唱。

6. Serene blue aspirations glide peacefully. 宁静的蓝色志向宁静地滑翔。

7. Chaotic crimson fantasies burn fiercely. 混沌的赤红幻想燃烧得熊熊燃烧。

8. Whispering turquoise concepts flutter aimlessly. 低语的青绿概念漫无目的地飘舞。

9. Lively coral fantasies shimmer vividly. 活泼的珊瑚幻想生动地闪烁。

10. Timeless lavender beliefs resonate mysteriously. 永恒的淡紫信仰神秘地回响。

显而易见，跟原句（5）相比，ChatGPT 仿造的句子在语义上更加合理和可以理解；因为，在训练语料中缺乏像（5）那种人为造成的合语法但是无语义的句子。并且，这 10 个句子跟 Piantadosi（2023：15）中由 ChatGPT 仿造的 10 个，没有一个是重合的。可见，尽管在训练语言模型时，工程师们没有向它注入显式的句法与语义分离的知识，但是语言大模型依然可以在用户的提示下，清楚地区分有关句子的句法与语义层面。

五、对语言的科学解释跟精确描写并不对立

其实，乔姆斯基反对语言的概率模型，还有更加深刻的哲学考虑，那就是，科学的目标是解释世界，提供关于研究对象的洞见，探索事物为何是它现在这个样子（why）；而不是描写世界、模拟现象或为事实建模，描述事物怎样成为这个样子（how），以取得工程上的成功。对此，Norvig（2011）的评论是：科学和工程是互相成就的，工程上的成功可以作为科学上的成功模型的证据。科学是事实和理论的混合体，理论不能过分凌驾于事实之上。科学发展史是一个不断积累事实的过程，语言学也不应例外。为了佐证自己的观点，Norvig（2011）调查了当时最近的期刊《科学》（Science）和《细胞》（Cell）上的文章，还有 2010 年诺奖中物理、化学、生理和医学方面的工作，结论是：这些研究工作 100% 地重视 "精确地模型化这个世界"（即 how），胜过 "提供对这个世界的解释"（why）。当然，他承认区分这两种工作有时并不容易。

Norvig（2011）还指出，语言学中的传统模型往往是离散的、范畴化的、定性描述的。比如，一个词要么是动词，要么不是，并没有关于它的 "动词性"（verbiness）的量化程度的描述。但是，母语

者对很多短语和句子的合语法性，也有拿不准的时候。比如：

　　（10）The earth quaked.

　　（11）? It quaked her bowels.

quake 这个动词一般在词典中都标记为不及物动词。因此，根据基于范畴的形式语法模型，上面的例（10）是合语法的，而例（11）是不合语法的。但是，例（11）这样的句子又确实出现在英语中。于是，基于范畴的形式语法模型就陷入了两难的困境：接受或排斥例（11）都有问题。像这样的问题，在概率语法模型中就不存在困难。只需要说 quake 的不及物用法概率很高、及物用法概率很低，就可以了。可见，概率化的训练模型可以比范畴化的无训练模型更好地表示自然语言。正因为合语法性并不是范畴化的、确定性的判断，而是概率性的，所以，花时间观察真实语料中的例句是值得的。观察跟直觉在科学研究的历史中并不相悖。只不过，从来都是观察，而不是直觉，在科学研究中占据主流地位。

　　考虑到 ChatGPT 是一个基于统计的概率模型，我们尝试检测它对于例（11）的合语法性的判断能力：

　　笔者：请把英语句子 "It quaked her bowels." 翻译成汉语。这个英语句子可以说吗？表达什么意思？符合语法吗？

　　ChatGPT：这个英语句子 "It quaked her bowels." 在语法上是合法的，但是这样的表达并不常见，而且可能被认为是相当生硬或过于直白。这句话的字面意思是 "它震动了她的肠道。"，但这种表达方式通常不是文学作品或正式场合中常用的表达方式。在文学或书面表达中，人们更倾向于使用更为文雅或隐晦的方式表达相似的感觉，以避免使用过于直接或生理的描写。因此，这个句子在某些语境下可能会引起不适或被认为是不雅的。如果你能提供更多上下文，我可以帮你找到更适当、更自然的表达方式。

可见，就此而言，基于概率的语法模型比基于范畴的语法模型更加灵活；我们实在没有理由把对自然语言的 "精确描写" 和 "科学解释" 对立起来。并且，在科学探索的过程中，描写事实通常比理论解释更加基本和重要。比如，进化论的奠基人达尔文以创立了富有洞察力的理论而闻名；但是，他更强调 "精确描写" 的重要性。物理学家费曼也说过："物理学可以不需要证明而进步，但没有事实则不可能进步。"（转引自 Norvig 2011）

六、"原则与参数" 范式下的范畴语法及其困境

　　乔姆斯基一向追求语言学理论的简洁与优美，而刻画语言数据的统计概率模型在数学上势必是非常复杂的，因此，他从心底里不喜欢基于统计概率的语言模型。乔姆斯基早期的语法理论强调语言是一个受规则支配的系统，后来又明确区分语言能力和语言运用两个层面：前者指语言使用者由遗传获得的内在的语言知识，其理论概括就是普遍语法；后者指语言能力在一定语境中的具体实现，其外在表现就是语言数据。他认为语言学应该研究语言能力，普遍语法可以理论化为数目有限的原则与参数（详见 Chomsky & Lasnik 1993）。比如，在代词脱落（pro-drop）这个参数上，西班牙语的取值是 1（即 "真"，true），而英语的取值是 0（即 "假"，false）（详见 Chomsky 1981）。因此，表示 "我饿了" 的意思，英语必须说 "I'm hungry"，代词主语不能省略；而西班牙语中必须说 "Tengo hambre"（字面上相当于 "have hunger"），做主语的代词 Yo 脱落了。依此类推，如果我们可以找到描述所有语言的为数不多的一系列参数，并且确定每个参数的具体取值，那么我们就真的理解了语言了。

对此，Norvig（2011）指出，问题是语言的现实情况比这个理论要杂乱得多。其实，英语中也有代词脱落现象。例如：

"Not gonna do it. Wouldn't be prudent." (Dana Carvey, impersonating George H. W. Bush)

"Thinks he can outsmart us, does he?" (Evelyn Waugh, The Loved One)

"Likes to fight, does he?" (S.M. Stirling, The Sunrise Lands)

"Thinks he's all that." (Kate Brian, Lucky T)

"Go for a walk?" (countless dog owners)

"Gotcha!" "Found it!" "Looks good to me!" (common expressions)

语言学家可以为如何解释上面这些现象争论个没完没了。但是，语言的多样性似乎远比用布尔值（true or false）来描述代词脱落的参数值要复杂。一个理论框架不应该把简单性置于反映现实的准确性之上。可见，离散的范畴语法对于语言参数的取值一般是正反二元对立的，没有给连续性的概率取值留下任何空间。

　　Norvig（2011）分析了乔姆斯基为什么要这样做的原因。第一，他的哲学理念是：我们应该关注深层的"为什么"（why，比如：为什么只有人类才具有语言能力？），只解释表层的现实（how，比如：我们听到和看到的单词、句子或人际交流等语言运用）是不够的。第二，他一直把注意力放在了语言的生成性上。从这个方面来说，非概率性的理论是合理的。如果他把注意力放在语言的另一面"理解（解释）"上，那么他或许会改变他的说法。在"理解"这一面，听话人需要对收到的信号进行消歧，决定哪种可能的解释概率最高。[①]这很自然地会被看作一个概率问题。语音识别的研究者是如此看待对语音的解释的，其他领域的研究解释的科学家也是如此的。第三，他更喜欢把语言学看作数学。乔姆斯基（Chomsky 1965：4）说："语言学理论是心理的，关心的是比实际行为更基础的心理现实。观察语言的实际应用或许可以提供一些证据，但是并不能构成语言学的主题。"其背后的担心可能是：如果关注语言运用和采用统计模型，那么就会让语言学成为一门经验学科，而不是形式科学的数学。但是，我们无法想象物理学家拉普拉斯（Pierre-Simon Laplace）会说，观察行星的运动不能构成轨道力学的主题。物理学家会研究理想的、从实际世界中抽象出来的力学（比如，忽略摩擦力），但是这并不意味着摩擦力不能成为物理学的研究主题。

　　Norvig（2011）的结束语同样是发人深省的：

　　语言是复杂的、随机的、不确定的生理过程，受到进化和文化变迁的影响。构成语言的不是一个外在的理想实体（由少量的参数设定），而是复杂处理过程的不确定的结果。因其不确定性，用概率模型来分析语言就是必然的选择。

　　显而易见，语言现象的实际情形（真相）远比任何语法学理论模型复杂。当离散的、非此即彼的、擅长定性描述的范畴语法，遇到复杂的、随机的、不确定的语言现象时，难免会捉襟见肘。因此，基于规则的自然语言处理路径被基于统计概率的语言模型取代，也就是不可避免的大趋势了。

---

　　① 例如，美国一个机场的 301 号航班正在推离入口准备起飞时，被控制塔管制员命令折回。原来，有位乘客无意中跟他的飞行员朋友打了声招呼"Hi, Jack!"；但是，从座舱传到控制塔时，被管制员听成了让航空人胆战心惊的致命单词："Hijack!"（劫机！）。于是，引发了紧急行动。见 Gazzaniga（2009）中译本，第 335 页。可见，同一种语音形式，有时对于不同的人来说，可能有不同概率的语义解释。

七、智识上的分歧：句法优先还是语义优先？

在认知科学界，不赞成乔姆斯基语言学路线的大佬也不乏其人。比如，同为麻省理工学院著名教授的计算机科学家马文·明斯基。[①] 不知道是出于个人认识还是政治因素，明斯基对乔姆斯基的语言学理论颇有微词。说起来，这两位科学家都精通数学，都提出了有关基本心理过程的理论；并且，他们都在 1950 年代后期推动了认知科学和人工智能的兴起和繁荣，都称得上是认知科学和人工智能的重要奠基者。但是，也许是出于深刻的智识上的分歧，也就是对适合于理解心智的目标和方法存在着根本性的差异，他们对于语言学首先应该干什么，有着截然不同的见解：明斯基更加关注的是语言所能实现的功能，而不仅仅是它的结构。因此，他埋怨乔姆斯基太过专注于句法，以至于一度几乎将语义问题完全排除在语言学之外；结果，一个重要的研究领域（语义学）被一个相对不重要的领域（句法学）取代了。对于明斯基来说，这是根本没理解问题的正确起点（即甚至没有提出正确的问题，"not even have the problem statement right"）。他认为乔姆斯基被抽象的数学所迷惑，而忽略了更有趣、更实质的问题，即意义和机制是如何相互关联的。[②]

明斯基的议论在很大程度上触及了语言学和 / 或语言信息处理是句法优先还是语义优先的问题。就语言信息处理而言，鲜有倚重句法的模型或系统获得成功的先例；而像 ChatGPT 等语言大模型成功的关键是倚重语义，特别是通过基于分布式语义学的词向量嵌入表示〔详见袁毓林（2022，2023）及其所引文献〕。这从工程应用的角度，给语言学理论研究的取向和侧重点的选择，提供了一个反思的维度和衡量得失的参照。

不过，对于乔姆斯基来说，语言是一个心智的计算系统，其主要功能是思维，而不是交际。他坚持认为，交际是语言的次要的、附带的功能（详见史有为 2022）。因此，语言学的研究对象不是语言运用，即我们能看到和听到的单词、句子或人际交流行为；而是人类内在的语言能力，即一种潜在于人类心智中的普遍语法，是所有语言共享的一种几乎肯定是通过进化而融入我们的生物学的结构。他假设这种结构的核心和基本特征是递归，即能够无限地在短语中嵌套短语，从而表达思想之间的复杂关系（比如"汤姆说 | 丹声称 || 诺姆相信……"）。因此，乔姆斯基的生成语言学必然是句法优先的。

但是，挑战性的事实是人类学家和田野语言学家丹尼尔·埃弗雷特（Daniel Everett）发现了一种亚马孙语言，即皮拉罕语（Pirahã），它不具备递归性。例如：[③]

（12）a. 男人打我。男人坏。

　　　b. 打我的男人坏。

（13）a. 月亮是绿奶酪做的。彼得说。约翰说。

　　　b. 约翰说彼得说月亮是绿奶酪做的。

（14）a. 你喝酒。你开车。你进监狱。

---

① 　马文·明斯基（Marvin Lee Minsky，1927 ～ 2016），麻省理工学院人工智能实验室的创始人之一，出版过多部人工智能和哲学方面的著作。1969 年，因在人工智能领域的杰出贡献而荣获图灵奖。

② 　详见 Marvin Minsky - My opinion of Noam Chomsky's theories (33/151) -YouTube; https://hyperphor.com/ammdi/Marvin-Minsky%E2%88%95vs-Chomsky；https://www.theguardian.com/us-news/2023/may/17/jeffrey-epstein-noam-chomsky-bard-college-president；https://www.independent.co.uk/news/world/americas/jeffrey-epstein-documents-what-to-know-b2473583.html；中文介绍，请看《两位认知科学 / A.I. 大佬出现在爱泼斯坦文件中》，微信公众号"摩登语言学"，2024-01-06，https://mp.weixin.qq.com/s/eRP-BiVGupgjMcPc5UtF0g。

③ 　例（12 ～ 14）分别根据 Everett（2017）中译本第 25、88、257 页上的例子改编；例（15）引自知乎"皮拉罕语"，https://www.zhihu.com/question/496695904。更加详细的调查，请看 Futrell et al.（2016）。

　　　　b. 如果你喝酒开车，那么你会进监狱。

（15）a. 给我带一些钉子回来。丹买了那些钉子。它们都是一样的。

　　　　b. 把丹尼尔买的钉子给我带一些回来。

在皮拉罕语中，没有 b 这种嵌套式的递归结构，只能说成 a 这种平铺开来的一组句子。正如 Futrell et al.（2016）所指出的：有些现代人类语言的层级结构低于乔姆斯基推测的层级结构。

　　对此，信从乔姆斯基理论的人当然可以理直气壮地回应称：即使皮拉罕语没有递归，这对普遍语法理论也毫无影响。因为这种能力是内在的，即使它并不总是被利用。正如乔姆斯基及其同事在一篇合著论文中所说："我们的语言能力为我们提供了构建语言的工具包，但并非所有语言都使用所有工具。"（Fitch et al. 2005）对此，Okrent（2017）敏锐地指出，这关系到的不是埃弗雷特对乔姆斯基理论的挑战，而是乔姆斯基对科学方法本身的挑战。因为，根据哲学家卡尔·波普尔（Karl Popper）的可证伪性准则：理论除非具有被证伪的潜在可能性，否则就不是科学。[①] 如果你声称递归是语言的基本特征，并且无递归语言的存在并没有推翻你的主张，那么还有什么可能使它无效呢？是啊，一个不能被事实反驳的理论，还称得上是一种科学理论吗？语言学还到底是不是一门科学啊？该不会是一门哲学或一种宗教吧？这是不是有一点儿细思极恐啊？

　　2007 年，在接受 Edge.org 的采访中，埃弗雷特说，他给乔姆斯基发了一封电子邮件："普遍语法做出了什么我可以证伪的单一预测？我怎么测试它？"据埃弗雷特称，乔姆斯基回答说："普遍语法并不做出任何预测。它是一门研究领域，就像生物学一样。"（引自 Okrent 2017）如果情况属实，那么就彻底刷新了我们对于普遍语法的固有认知：普遍语法是一种关于语言能力的理论。难道这是为了逃避可证伪性测试而临阵换将和改旗易帜吗？

　　事实上，不仅是递归，而且"合并"（merge）这种普遍语法的句法操作，即把两个成分组合成一个更大的成分，也不是所有语言都采用的。比如，埃弗雷特和芭芭拉·克恩（Barbara Kem）宣称：合并理论对亚马孙的瓦里语（Wari）做出了错误的预测；语言学家雷·杰肯道夫（Ray Jackendoff）和伊娃·维滕堡（Eva Wittenburg）宣称：在印尼廖内语（Riau）中寻找合并操作是徒劳的（详见 Everett 2017）。这说明，合并可能是人类语言的一种重要的类似二进制的句法操作，但是不一定是人类语言的必不可少的结构基础。反过来，对于语言来说，更加重要的是语言形式的意义和交际者之间的互动，而不是语言的结构及其抽象的运算方式。也就是说，语义研究可能比句法研究更加重要。

八、结语：我们能够从中得到什么教训？

　　技术进步的速度常常会超出业内资深专家们的估计。比如，在距今不远的那些岁月中，曾经有过下面这些信心爆棚、信誓旦旦的预判（引自 Jason 2024）：

　　1. 高速行驶的铁路火车是不现实的，因为，乘客会由于车速太快不能呼吸，窒息而死。——狄奥尼修斯·拉德纳（1793～1859），自然哲学、天文学教授，伦敦

　　2. 折腾交流电是浪费时间，人们永远也不会使用它。——托马斯·爱迪生，1889 年

　　3. 马匹不会过时，而汽车只是流行一时的新奇事物。——美国密歇根州储蓄银行总裁，1906 年

---

　　① 根据 Popper（1968），科学家必须预先说明，在什么实验条件下他将放弃自己的甚至最基本的假设。即事先立下反驳的标准：如果哪一种状况真的被观察到了，就意味着他的理论被反驳了。并认为，衡量一种理论的科学地位的标准是它的可证伪性或可反驳性或可检验性，一种不能用任何想象得到的事件反驳掉的理论是不科学的。详见中译本第 49～52 页和第 54 页的注 2。

4. 全世界所需要的计算机大概是……五台。——IBM 公司，1943 年

5. 过了一开始的 6 个月，电视就不会再有任何市场了，人们很快就会厌倦每天晚上盯着一个胶合板做的盒子。——二十世纪福克斯高管达里尔·扎纳克，1946 年

6. 人们没有理由想要在家里拥有一台电脑。——数字设备公司总裁肯·奥尔森，1977 年

7. 移动电话不会取代固定电话。——马蒂·库珀，1981 年

8. 我预测互联网很快将成为壮观的超新星，而到 1996 年就会遭遇灾难性的崩溃。——罗伯特·梅特卡夫，1995 年

9. 不支持 3G，造价高，而且连最起码的摔落测试都没能通过，不太可能对诺基亚构成威胁。——诺基亚工程师对第一代 iPhone 的评估报告，2007 年

后来的现实当然是：这些预言家被事实无情地啪啪打脸，有时简直让当事人无地自容。同样，当许多语言学家以为基于统计的概率模型无法真正刻画自然语言时，ChatGPT 等基于统计概率的大语言模型却大获成功。从中，我们语言学家能够得到哪些经验和教训呢？

关于经验和教训，粗略地说，至少有下面几点。（1）ChatGPT 等现代大语言模型基于深度神经网络，在词语的嵌入式向量表示和转换器的注意力机制等的加持下，能够超越马尔可夫过程模型的有限状态的转移网络，来捕获语句中不同词语之间长距离的依存关系，从而达到接近于人类水平的语言生成与理解。（2）ChatGPT 等现代大语言模型基于海量文本语料的训练，通过词向量进行语言上下文关系等知识的压缩，能够隐式地学习基本的句法和语义知识，从而能够理解、识别和生成"Colorless green ideas sleep furiously."之类经典的句法合格但语义异常的句子。（3）对语言的"精确描写"和"科学解释"并不对立，并且前者比后者更加重要，因为对语言的科学解释必须建立在对语言的精确描写的基础上。比如，ChatGPT 等现代大语言模型通过学习海量文本语料中的词语与句式的概率分布，相当于达到了对某种语言的精确描写，以至于连人类文本中的各种偏见和刻板印象都习得了；然后通过集束搜索等采样解码策略来预测下一个词语，最终达到语言的生成和理解〔居然还是通过生成来达到理解（详见 Radford et al. 2018）〕。因此，从某种意义上讲，现代大语言模型本身就可以看作一种关于语言运用的科学理论。[①]（4）人类自然语言由众多的社会成员使用，内部难免参差不齐，对于有关句子的合语法性和可接受性也不会有整齐划一的标准。因此，生成语法学的"原则与参数"范式下的范畴语法，对于描写人类自然语言肯定有不可克服的困难。（5）从语言的交际功能这种实际用途出发，无论是语言生成还是语言理解，都是以意义为中心的；相应地，语法学的研究取向可能不应该是"句法优先"，而应该是"语义优先"。只要想一下在人类进化的漫长征途中语言的形成过程，就可以明白：首先得有一批人类文化所创造的概念（意义）跟社会认同的形式（语音）相结合的象征符号，然后才有怎样让多个象征符号合并和组合成符号串的句法。[②]正如 Luuk & Luuk（2014）所指出的：句法最初是从符号连接开始发展的，然后从单纯的连接发展到嵌入语法。（6）语言学家从语言大模型的成功中获得的最大经验与教训是：对能够直接观察的语言事实（我们每天都说的单词、句子等）的准确描写，远比对不能直接观察的语言能力及其本质（一种特定于语言和人类的抽象特性等）的解释更为基本。前者可以用语料和大语言模型来验证并且支持有关的教学和工程应用，后者则不容易证伪并且

---

① 具体的论证和说明，详见袁毓林（2024）。人称"神经网络教父"的辛顿（Geoffrey E. Hinton），在牛津大学的演讲（Hinton 2024）中有下列令人警醒的说法：大型神经网络仅仅通过学习大量的文本，就能无师自通地掌握语言的语法和语义；乔姆斯基曾说语言是天赋而非习得的，这很荒谬；他曾经做出了惊人的贡献，但他的时代已经过去了。

② 详见 Everett（2017），中译本第 82 ～ 98、245 ～ 265 页。

容易陷于"确认偏差"（confirmation bias，即倾向于发现有利于自己先前所持的信念、假设或理论的证据，而忽略对自己不利的证伪性数据、事实或理论）。当然，也不排除这样一种可能性：前者囿于语言的表面现象而失去关于语言本质的洞察力，后者则开辟了一条通向认识语言（和人类及其思维）本质的光明大道。另外，在计算技术和数学模型面前，我们应该保持足够的谦逊！因为，语言技术变革的速度、效力和前途，可能会比人们通常预想的更快、更高和更远！

参考文献

史有为　2022　《从乔氏对答谈语言的思维功能》，微信公众号"西去东来中传站"，2022-10-25。

袁毓林　2022　《在人类生境约束下思考语言的设计原理和运作机制》，《语言战略研究》第 6 期。

袁毓林　2023　《超越聊天机器人，走向通用人工智能——ChatGPT 的成功之道及其对语言学的启示》，《当代语言学》第 5 期。

袁毓林　2024　《ChatGPT 等大型语言模型对语言学理论的挑战与警示》，《当代修辞学》第 1 期。

Chomsky, N. 1956. Three models for the description of language. IRE Transactions on Information theory (Volume 2, Issue 3), 113–124. Chomsky, N. 1957. *Syntactic Structures*. The Hague: Mouton.

Chomsky, N. 1965. *Aspects of the Theory of Syntax*. Cambridge, MA.: MIT Press.

Chomsky, N. 1969. Some empirical assumptions in modern philosophy of language. In *Philosophy, Science and Method: Essays in Honor or Ernest Nagel*. St. Martin's Press.

Chomsky, N. 1981. *Lectures on Government and Binding*. De Gruyter.

Chomsky, N. 2023. The False Promise of ChatGPT. New York Times, Mar. 8, 2023.（《乔姆斯基：ChatGPT 的虚假承诺》，微信公众号"语言治理"，2023-03-10，https://mp.weixin.qq.com/s/e9KDOZ3vwd10PFvH6hbtmg；《终于，乔姆斯基出手了：追捧 ChatGPT 是浪费资源》，微信公众号"机器之心"，2023-03-10，https://mp.weixin.qq.com/s/MyiLZYE_hcL27i_qtm7lSA。）

Chomsky, N. & H. Lasnik. 1993. Principles and parameters theory. In J. Jacobs, A. von Stechow, W. Stemefeld, & T. Vennemann (Eds.) Syntax: An International Handbook of Contemporary Research. Berlin: de Gruyter.

Everett, D. L. 2017. *How Language Began: The Story of Humanity's Invention*. New York • London: Liveright Publishing Corporation.（《语言的诞生：人类最伟大发明的故事》，何文忠，樊子瑶，桂世豪，译，北京：中信出版集团，2020。）

Fitch, W. Tecumseh, M. D. Hauser, & N. Chomsky. 2005. The evolution of the language faculty: clarifications and implications. *Cognition* 97(2): 179–210.

Futrell, R., L. Stearns, D. L. Everett, S., et al. 2016. A Corpus Investigation of Syntactic Embedding in Pirahã. *PLoS One*. https://journals.plos.org/plosone/article?id=10.1371/journal.pone.0145289.

Gazzaniga, M. S., R. B. Ivry & G. R. Mangun. 2009. *Cognitive Neuroscience: The Biology of the Mind* (3rd Edn.). W. W. Norton & Company, Inc.（《认知神经科学——关于心智的生物学》，周晓林，高定国，等，译，北京：中国轻工业出版社，2011。）

Hinton, E. G. 2024.《数字智能会取代生物智能吗？》，2024 年 2 月 19 日于牛津大学的公开演讲，卫剑钒，编译，微信公众号"卫 sir 说"，2024-03-08，https://mp.weixin.qq.com/s/u72sPc0PxwIaQBFK-TCKJw。

Jason. 2024.《从 GPT-5 是什么说起》，微信公众号"信息平权"，2024-01-21，https://mp.weixin.qq.com/s/1uKg8QulI7AmWLqS9Q8toA。

……

（因版面不足，以下参考文献从略，可在中国知网上阅读、下载完整版）

责任编辑：王　飙

国际学界关于ChatGPT语言能力的争论与思考[*]

时　仲[1,2]，田英慧[1]，司富珍[1]

（1.北京语言大学　语言学系/乔姆斯基研究所/生物语言学与脑科学实验室　北京　100083；
2.北京华文学院　招生办公室　北京　102206）

提　要　随着 ChatGPT 为代表的大语言模型在应用方面取得极大成功，语言官能是否为人类独有的问题引起热议，国际学界形成两个对立的阵营。一方认为，大语言模型语言理解和产出方面达到了媲美人类的水准，对乔姆斯基的语言学理论提出了挑战，甚至足以取代生成语法的语言学理论地位。另一方则认为，人类语言习得"刺激贫乏"但生成能力惊人，而大语言模型"学习"语言依靠输入海量数据，因此，它无法对人类语言的本质问题给出合理性解释，在语言的核心属性方面与人类语言官能存在本质区别。不少实证测试也对夸大大语言模型在语言学理论中的地位的观点进行了批判。本文认为，对这一问题的讨论，首先应思考如下问题：（1）区分科学理论建构与工程应用；（2）对"可能的语言"与"不可能的语言"的区分做出原则性的预测与解释；（3）探讨自然语言习得"刺激贫乏"与大语言模型依靠"豪华型"海量数据之对立背后的深层原因；（4）对句法在人类语言和大语言模型中的地位进行更多维度和更系统的对比评测。

关键词　ChatGPT；大语言模型；刺激贫乏；可能的语言；不可能的语言

中图分类号　H002　**文献标识码**　A　**文章编号**　2096-1014（2025）01-0075-12

DOI　10.19689/j.cnki.cn10-1361/h.20250107

ChatGPT's Linguistic Competence: Debates and Reflections in the International Academic Community

Shi Zhong, Tian Yinghui and Si Fuzhen

Abstract　With the great success of ChatGPT and other large language models (LLMs) in practical applica-tions, a heated debate has arisen regarding whether language faculty is unique to human beings. Two contrasting perspectives have emerged within the international academic community. One perspective argues that LLMs have achieved human-level proficiency in language understanding and production, thereby challenging Chomsky's linguistic theories and even potentially replacing the theoretical framework of Generative Grammar. The opposing perspective argues that while humans acquire language despite "poverty of stimulus", demonstrating a remarkable generative capacity, LLMs "learn" language by leveraging massive data input. Therefore, LLMs fundamen-tally differ from human language faculty in their core attributes and cannot adequately explain the essential nature of human language. Empirical studies have also criticized the tendency to overstate the role of

---

　　* 作者简介：时仲，男，北京语言大学在读博士研究生、北京华文学院教师，主要研究方向为理论语言学、语言与人脑科学。电子邮箱：shizhong@bjhwxy.com。田英慧，女，北京语言大学在读博士研究生，主要研究方向为语言与人脑科学。电子邮箱：yinghuitian_blcu@163.com。司富珍（通讯作者），女，北京语言大学教授，主要研究方向为理论语言学、乔姆斯基语言学术思想、生物语言学及脑科学、科学哲学。电子邮箱：sifuzhen@blcu.edu.cn。

　　2024 年度教育部哲学社会科学研究后期资助项目"人脑与大语言模型句法加工的比较研究"（24JHQ046），北京语言大学后期资助项目孵化课题"人脑与大语言模型句法加工的比较研究"（24HQ04），北京语言大学研究生创新基金（中央高校基本科研业务费专项资金）项目"ChatGPT 对生成语法理论的影响"（23YCX057）。

LLMs for linguistic theory. This paper argues that discussions on this issue should begin by addressing the following key issues: (1) the differentiation between scientific theory formulation and engineering applications; (2) the principled predictions and explanations regarding the distinction between "possible languages" and "impossible languages"; (3) the underlying factors accounting for the contrast between natural language acquisition under "poverty of stimulus" and LLMs' reliance on massive data input; and (4) multi-dimensional and systematic comparative evaluations of the role of syntax in human language versus LLMs.

Keywords　ChatGPT; large language models (LLMs); poverty of stimulus; possible languages; impossible languages

一、引　言

计算机能思考吗？这是图灵的文章《计算机器与智能》（Turing 1950）的开篇之问。"图灵之问"在人工智能和语言学等领域引发了长达半个多世纪的大讨论，争论的焦点是机器能否具备与人类相同的语言和思维能力，而其终极关怀则是：人工智能是否能具备与人类同等的心智？

半个多世纪以来，人工智能行业取得了突飞猛进的技术进步和商业成就，而"图灵之问"却始终未能取得具有共识性的回答。随着 2022 年 11 月 ChatGPT 的问世及迅速而广泛的应用，学界对这一问题的争论更趋激烈：这款由 OpenAI 公司推出的聊天机器人尽管用户界面极简，但话语理解和产出功能却超强，它能高精度地理解和回应用户发送的指令，可以提供写作、翻译、问题解答、代码编写等多方面的帮助，且其工作速度之快，涉及内容之广、之深，远超人类一般水平，犹如一个无所不能的超能私人助理。这引起科学界的高度关注：《科学》（Science）杂志将"人工智能具备创造力"选为 2022 年度"十大科学突破"之一[①]；《自然》（Nature）杂志评选 2023 年度十大科学人物，ChatGPT 作为唯一的非人类形象赫然在列[②]；2024 年，诺贝尔物理学奖颁发给了人工神经网络和机器学习领域的两位专家约翰·霍普菲尔德（John Hopfield）和杰弗里·辛顿（Geoffrey Hinton）。

在这一背景之下，人们开始重新思考"图灵之问"（Biever 2023；Mei et al. 2023；Gajic & Mandić 2023；等等），大家关心的议题主要集中在：以 ChatGPT 为代表的大语言模型是否破译了人类语言能力的奥秘？乔姆斯基关于语言官能人类独属等的理论假设是否因此被推翻了？实际上，围绕着"图灵之问"产生的关于"人""机"语言知识和语言能力的类似探索、讨论和争辩并不自 ChatGPT 始，国外如 Feigenbaum & Feldman（1963），Winston（1970），Bobrow & Collins（1975），Chomsky（1975），Wilks（1976），Goldstein & Papert（1977）；国内如刘海涛（1997，2001，2008），孙茂松、周建设（2016），杭慧喆（2016），林茂灿（2020），陈平（2021），荀恩东（2022）。但 ChatGPT 的问世、辛顿获得尤利西斯奖章和诺贝尔奖后对乔姆斯基语言学理论的直接批评（辛顿 2024），又在更多学科领域和更大范围内激发了人们的讨论热情，也使得对乔姆斯基语言学理论的质疑声浪明显高涨。

本文是对国际学术界一些针锋相对的观点的评述。这些观点总体上代表了两个对立阵营的交锋：一方认为，大语言模型已经具备了超越常人的语言能力，且这一语言能力的获得并未借助任何语言学理论，这使得当代语言学理论的研究彻底失去了意义（Baroni 2022；Piantadosi 2023；等等）；另一方则认为，大语言模型本质上仍是一个"模仿机器"，它虽然能很好地模仿人类说话，但其语言机制跟人类语言存在着根本性的不同，也无法对人类语言做出解释，回答"语言为什么是这样"的问题

[①]　https://www.science.org/content/article/breakthrough-2022#section_ai.

[②]　https://www.nature.com/immersive/d41586-023-03919-1/index.html.

（Chomsky 2023a；Chomsky et al. 2023；Murphy 2023；Bolhuis et al. 2024；等等）。以下首先重点评述论辩双方的核心观点和论辩依据，然后在此基础上简述本文作者的若干思考与建议。

二、两个对立阵营的代表性观点交锋

（一）阵营一：Plantadosi（2023）等认为，ChatGPT 破解了人类语言能力的奥秘

随着 ChatGPT 的出现，有一个声音得到了为数可观的人群的应和：ChatGPT 和大语言模型已经具备了超越常人的语言能力，它破解了人类语言的奥秘。最具代表性的如 Piantadosi（2023）、Everett（2023）、Kallens et al.（2023）、Warstadt & Bowman（2020）、Lampinen（2023）、Mahowald et al.（2023）等。这些观点又可分为强式和弱式两种：强式观点主张大语言模型本身就可视为一种理论，足以取代生成语法的语言学理论地位；弱式观点则从与生成语法理论相关的某一方面出发，对大语言模型的语言能力进行评估，从而支持大语言模型已具备与人类水平相近的语言能力的观点。

1. 强式观点：大语言模型足以取代生成语法的语言学理论地位（Piantadosi 2023；Everett 2023）

Piantadosi（2023）对大语言模型的语言能力给出了极高评价。他首先综述了大语言模型所取得的突破性进展以及学界近几年开展的评测，认为最新的大语言模型已经具备了产出从句、介词短语、连词的多重嵌套式结构等的能力，还能在句中正确使用代词、限定词、量词等功能性语言成分，在形态一致性和代词指代方面也很少犯错误。特别是大语言模型很好地解决了长距离依存这一自然语言处理领域的老大难问题——大语言模型不仅能够处理单个句子内部的长距离依存，还能应对多个句子间的长距离依存情况。Piantadosi（2023）认为，从这些方面来看，大语言模型所表现出的语言运用能力与人类有着高度的一致性。

不仅如此，Piantadosi（2023）还进一步认为，GPT-3 等大语言模型所取得的进展对乔姆斯基的语言学理论和关于语言本质的主张带来了挑战，具体表现为两个方面。第一，大语言模型并未在系统中内置任何语言习得机制，也未借助任何语言学理论，而是仅通过外部文本的大量输入的训练以及词语预测的手段，便掌握了包括层级性、句法规则在内的语言加工能力；因此认为，语言可能并不是由生物属性决定的，而是仅凭外部语言刺激便足以掌握。这与乔姆斯基关于自然语言的"刺激贫乏论"假说（Chomsky 1955/1975，1965，2010，2012a，等等）相矛盾。第二，大语言模型本身就可视为一种理论，其强大的文本预测能力能够为我们探究心智运作机制提供可能的假设，具有科学意义上的贡献。因此，在大语言模型的成功光芒之下，生成语法已经不再具有研究意义和价值，大语言模型足以取代生成语法的语言学理论地位。Piantadosi 将他这篇文章的题目定为《现代语言模型颠覆了乔姆斯基的语言观》（Modern Language Models Refute Chomsky's Approach to Language），该文可视为对乔姆斯基语言学理论的宣战书。

Piantadosi（2023）很快得到 Everett 这位乔姆斯基理论的长期反对者的积极回应。Everett（2023）称 Piantadosi（2023）是该领域近几十年来的最重要的论文之一。特别是就 ChatGPT 无需内置任何语法原则、仅仅依靠大数据便可掌握人类语言这一点，Everett 认为这是推翻乔姆斯基所秉持的"先天语法原则在语言习得过程中具有必要性"的有力证据。除此之外，针对 Chomsky et al.（2023）所提到的 ChatGPT 对于一些特定结构无法正确加工的情况（如 "Bill was too stubborn to give the book to."），Everett 认为这恰恰反映了 ChatGPT 与人类语言发展之间的相似之处，因为 ChatGPT 仍处于发展初期：这些错误在人类幼儿或者二语学习者身上也同样可能发生。

2. 弱式观点：大语言模型已具备与人类水平相近的语言能力（Kallens et al. 2023；Warstadt & Bowman 2020；Lampinen 2023；Mahowald et al. 2023）

主张大语言模型的成功表明其语言能力可与人类语言官能媲美的文章中，也有不少是在对具体事实考察的基础上得出的结论，比之于缺少科学论证的强式观，这一类型的研究更值得关注。其中一些研究以生成语法重点关注的某些论题为出发点，对大语言模型的语言能力进行了评估，涉及的方面有语言天赋假说、递归能力、层级属性、语言能力、语言与思维的关系等。

关于"天赋论"。以乔姆斯基为代表的生成语法学派认为，"天赋"的语言初始状态是人类习得和理解语言的第一决定要素（Chomsky 2005）；而与其对立的统计学习理论则强调后天经验和外部语言输入的重要性。Kallens et al.（2023）以此对立为切入点，探究大语言模型所运用的统计学习策略能在多大程度上解释人类语言的本质及其习得的过程。其结论是，大语言模型在无内置语法的情况下呈现出的类人的语法能力（主要论据是大语言模型产出的句子罕有语病），很好地证明了语法能力可通过语言环境的外部输入获得，而无需借助语言特异（language-specific）的计算或表征手段。Kallens 等据此对"语言天赋说"提出质疑，并认为，GPT-3 等大语言模型在语言能力上取得的成功，对整个认知科学的发展都有着重要的理论意义和启示价值。

关于"层级结构"。Warstadt & Bowman（2020）也认为，大语言模型具有能够自发地从原始数据中习得层级结构的倾向性。该研究对谷歌公司推出的大语言模型 BERT 进行了测试，发现在需要依赖层级结构才能进行正确加工的 4 种情形中，大语言模型能够正确习得其中 3 种（即：含关系子句结构的助动词前置，反身代词的约束，嵌套子句中的动词时态分析），只有极性否定词结构未能完全掌握；文中强调，即使在训练语料中不包含任何直接相关例句的情况下，结论也同样如此。作者因此认为，生成语法声称人类获得语言的前提是必须有先天内置于人类心智中的语法原则，但大语言模型的测试结果则表明，机器语言学习至少有一部分是可以从外部数据中自发习得的，因此具备"能学性"（learnability）。

关于"递归能力"。Lampinen（2023）重点关注了大语言模型的语言递归能力和层级结构加工能力。生成语法理论认为，递归性作为语言的本质属性之一，为语言创造性提供了基础（见 Chomsky 1957；Hauser et al. 2002）。Lampinen（2023）尝试通过论证大语言模型在递归结构的加工能力方面达到与人类相同的水准，来间接证明大语言模型的语言能力与人类的语言能力具有同一性。为此，作者以多层递归嵌套结构和不同单复数形态的名词干扰项作为测试对象，要求大语言模型进行句子续接文本的选择，检验大语言模型是否能够对句子中特定位置动词的单复数形态进行准确识别和加工（如图 1 所示）。实验结果表明，在给出足够的示例和提示词（prompt）后，大语言模型甚至能够比人类被试更为准确地识别复杂句子结构中的一致关系，并以恰当的动词形态完成这类句子的续接任务。其结论是，大语言模型已经能够像人类一样稳定、可靠地加工复杂递归嵌套结构；甚至可能需要适当削弱大语言模型的能力，才能更准确地模拟人类在加工此类复杂结构时的真实表现。

关于"形式能力"与"功能能力"。大语言模型"一本正经地胡说八道"的问题始终显著存在，难以回避。英国《剑桥词典》和美国《韦氏词典》分别将 hallucinate（产生幻觉）和 authentic（真实的）选为 2023 年度词[①]，入选理由直指大语言模型编造事实的问题。这难免让人怀疑：大语言模型的语言能力是否真如一些人所宣称的那样，可与人类语言官能相比？而生成语法学者则更关心这样的问题：

[①] https://dictionary.cambridge.org/us/editorial/woty，https://www.merriam-webster.com/wordplay/word-of-the-year.

大语言模型在"语言能力"的本质上及语言运用上与人类官能到底有何相似与区别？正如生物学家可以追问：在飞行实践上远超飞鸟、时速可达数千千米的飞机与飞鸟之间在飞行这一官能方面是否相同，换言之，飞机的出现是否意味着鸟儿其实不需要内在的生物机制做基础也可以飞翔？

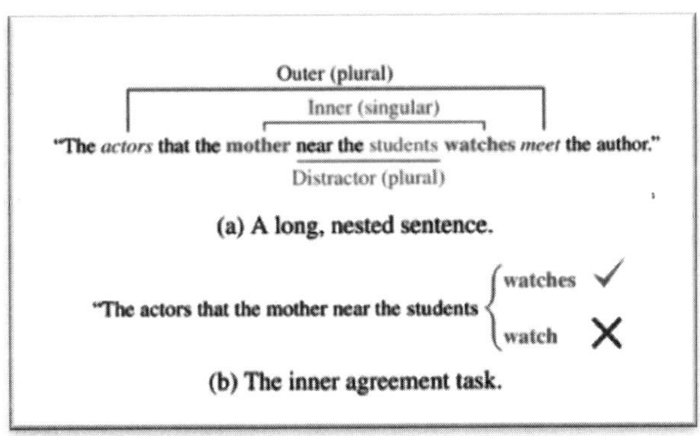

图 1　Lampinen（2023）关于大语言模型递归能力的测试语料示例

对此，Mahowald et al.（2023）对"语言能力"的内涵进行了思考，将其区分为"形式能力"和"功能能力"："形式能力"囊括了音系、形态、句法等语言内部的规则，这些都是传统形式语言学关注的领域；而"功能能力"则涉及人类感知、认知和行为中运用到的形式推理、世界知识、情境建模、交流意图等。作者认为，大语言模型之所以能轻而易举地生成连贯、合语法的语言序列，是因为它已经很好地掌握了人类语言的核心规则，具备了出色的"形式能力"。但大语言模型的"功能能力"尚不成熟，也就是说，还无法在现实世界的场景中准确地理解和使用相应的语言。例如，在"The trophy did not fit into the suitcase because it is too small"（奖杯没能装进行李箱里，因为它太小了）这句话中，代词 it 指代的对象并不能从句法计算中直接推导出来，而是需要依赖外部世界知识来辅助语义上的解读。作者认为，语言模型对于这类问题的处理能力明显不足，其背后反映的并不是语言能力本身，而是人类的思维能力。因此至少对于大语言模型来说，语言和思维应该分而治之。

（二）阵营二：Chomsky et al.（2023）、Bolhuis et al.（2024）等认为，ChatGPT 与人类的语言能力不可同日而语

对于 ChatGPT 具备人类语言能力这一观点持否定和怀疑态度的一方，其论证路径和关注重点可分为宏观评述和实证评测两类：前者从宏观层面对 Piantadosi（2023）等为代表的观点进行了回应，焦点是对 ChatGPT 语言能力本质的定性；后者则聚焦某一具体问题，通过实证测试来评估大语言模型与人类语言能力之间的区别。

1. 宏观评述：大语言模型是"一种高科技形态的剽窃"（Chomsky et al. 2023；Rawski & Baumont 2023；Murphy 2023；Bolhuis et al. 2024）

首先引起广泛关注的是乔姆斯基本人的回应。在 ChatGPT 推出 1 个多月后，乔姆斯基接受采访表达了自己对 ChatGPT 的看法：尽管 ChatGPT 能够做到准确预测一串文字序列中的下一个字符，产出非常接近人类所表达的语言，但它所使用的"暴力"（brute-force）[①]手段从本质上讲是一种"高科技形态的剽窃"；"对于理解与语言或认知相关的任何方面，这些系统都是完全没有价值的"（Chomsky

---

[①]　计算机术语，指依靠强大的计算能力去尝试每一种可能性来解决问题的方法。

2023a）。原因在于，ChatGPT 这样的程序依靠扫描海量数据和寻找统计规律来预测下一个可能出现的词，这一过程显然称不上是一种"理论"，也根本无法捕捉到语言复杂性表象背后的本质属性。

　　随后，乔姆斯基等人又在《纽约时报》上发表题为《ChatGPT 的虚假承诺》（The False Promise of ChatGPT）的文章，认为"ChatGPT 在推理和语言使用上和人类有巨大差别"（Chomsky et al. 2023）。文章特别强调，ChatGPT 这样的程序无法具有像人类那样对"可能"与"不可能"的语言进行区分的能力。对于 ChatGPT 来说，它可以无限制地学习任何内容：符合语言普遍性规律、能够被人类所掌握的"可能的语言"，和不符合语言普遍性规律、无法被人类掌握的"不可能的语言"，它都会一视同仁、不加区别地接受和吸收。因此，尽管 ChatGPT 运用统计手段取得了工程应用领域的成功，对于以探索语言本质为己任的理论语言学来说，这其实说明不了什么，因为它并没有解决真正的科学问题，比如它无法回答"语言为什么是这样而不是那样"的问题（Chomsky et al. 2023）。至于那些声称大语言模型颠覆了生成语法理论的观点，乔姆斯基在另外一次采访中表示，这些看法就好比仅仅因为商业航空公司在导航问题上取得了更好的结果，就告诉昆虫科学家他关于昆虫导航的工作被全部推翻了一样荒谬；大语言模型不能告诉我们关于语言、学习或认知本质方面的任何信息，因此，试图从这类工程中探寻语言本质的想法从一开始就注定是徒劳无功的（Chomsky 2023b）。

　　值得注意的是，乔姆斯基对人工智能的这一洞见早在几十年前便已经形成。在人工智能领域尚未取得长足进展之时，乔姆斯基便对基于统计和概率对语言进行建模的路径提出过深刻洞见："语法是自主的，独立于语义；概率模型并不能为透彻了解句法结构的一些基本问题发挥特殊的作用。"（Chomsky 1957）他曾多次提醒，计算机科学依靠大量数据和统计分析得出的近似语言的表达只是对人类行为的模拟，并不能帮助我们真正理解语言的本质；我们有必要对"模拟"和"理解"加以明确区分，否则就容易陷入语言假象的危险境地中（Chomsky 2012b；Chomsky & Moro 2022）。

　　Rawski & Baumont（2023）、Murphy（2023）、Kodner et al.（2023）等也对 Piantadosi（2023）做出了回应和反驳。其中 Rawski & Baumont（2023）以《现代语言模型什么也没有颠覆》（Modern Language Models Refute Nothing）为题直接回击 Piantadosi（2023），并运用命题逻辑推理指出该文在论证过程中存在的逻辑谬误和论据不充足。作者指出不应该混淆相关性与因果性：尽管大语言模型能够模仿或者预测人类语言行为，但并不能因此推导出大语言模型本质上具备与人类相同的语言能力的结论，也无法推论这类模型可以视作解释人类语言的理论模型。Murphy（2023）也在博客上发表了类似看法，他指出，Piantadosi（2023）《现代语言模型颠覆了乔姆斯基的语言观》一文在题目上便犯下了范畴错误（category error）：因为现代语言模型和乔姆斯基的语言观是不同层面的两个范畴，前者属于工程工具，后者则是一种研究计划，两者之间不存在直接的竞争关系。正如反过来，我们也从来不会去说"乔姆斯基的语言观颠覆了现代语言模型"一样。此外，Kodner et al.（2023）也从对大数据的"没有节制的"学习、单纯模仿、缺少解释性等方面对 Piantadosi（2023）的观点进行了批驳。

　　作为乔姆斯基语言学理论的支持者，Moro 和 Bolhuis 等也发文（如 Moro et al. 2023；Bolhuis et al. 2024）认为，说人工智能并不具有人类语言的能力，有 3 个理由。其一，人类语言是生成性的，而大语言模型为代表的人工智能的语言使用是基于统计的。其二，人类婴儿学习语言的决定因素不是数据的输入，相反，基于"贫乏"的数据刺激却能生成无限的句子；而大语言模型所依赖的则是海量大数据，这一点与人类儿童语言习得相反。其三，人类语言官能决定了人可以区分"可能的语言"和"不可能的语言"；而大语言模型则会产出"不可能的"语言，并且不能分辨"可能的语言"与"不可能的语言"。

　　值得注意的是，Collins（2024）尽管在一些方法论上与生成语法观点并不完全一致，但在关于大语言模型与语言学理论之间的关系上则与 Chomsky et al.（2023）意见一致。比如认为大语言模型本身并不是科学理论，它无法回答关于语言的各种"为什么"的问题，其输出表现也完全任意，根本无法成为语言学理论的替代品。

　　2.实证研究：大语言模型与人类语言能力之间存在重大区别（Katzir 2023；Zhang et al. 2023；Dentella et al. 2023a，2023b）

　　Katzir（2023）以《为什么大语言模型不能成为人类语言认知的理论》（Why Large Language Models Are Poor Theories of Human Linguistic Cognition）为题对 Piantadosi（2023）进行了批判性回应，认为其对大语言模型语言能力的评述有些言过其实。Katzir（2023）指出，Piantadosi（2023）的论证缺少扎实的事实基础，那些所谓大语言模型已经熟练掌握的方面，例如对于"大语言模型很好地处理了长距离依存，准确把握了语言层级结构的特点"的说法，只需一些简单的手段便能将其打回原形：如果让 ChatGPT 执行词语预测选择任务，比起符合语法但语义可能性较低的选项，ChatGPT 更倾向于续接一个语义可能性更高但却不符合语法的选项（如图 2 所示）。

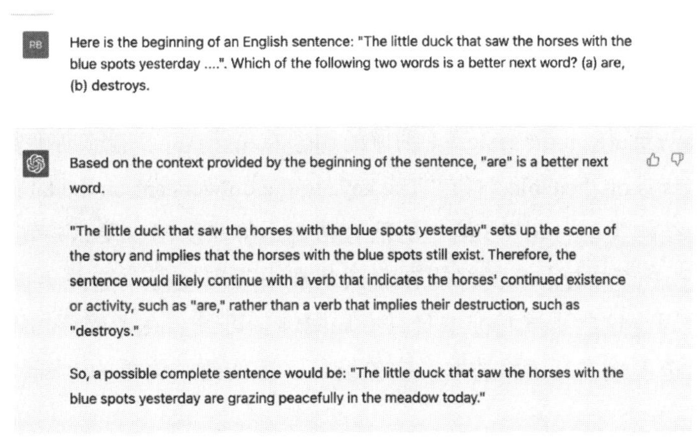

图 2　Katzir（2023）对 ChatGPT 进行句子续接测试的结果

　　由此看来，大语言模型尽管已取得不错的长距离依存处理能力，但仍缺乏足够的稳定性，无法像人类那样可以轻易地将可能的语义干扰排除在外。Katzir（2023）认为，Piantadosi（2023）对大语言模型的语言能力进行的评估缺乏系统全面的考察，仅提及与人类表现更为接近的那些方面，而忽视和掩盖了其差距和不足，包括：（1）大语言模型对语言限制条件（如孤岛效应）的加工存在缺陷，（2）大语言模型对人类语言共性不具备天然的倾向性，（3）大语言模型对语言能力和语言运用不能加以区分，等等。这些差距使得当前大语言模型的表现仍然像是"随机鹦鹉"，无助于加深对人类语言机制的理解，也注定不能成为人类语言的解释性理论。

　　同样从实证角度对 Piantadosi（2023）进行批判性研究的还有 Dentella et al.（2023a），该研究从 8 种语言现象着手，对包括 GPT-3 在内的 3 种大语言模型进行了语法正误判断的测试实验，结果发现大语言模型虽然对合语法的语料进行判断时表现良好，但对不合语法的语料则判断力不佳；同时还表现出显著的不稳定性，以及具有持肯定回答的倾向性。这些表现与人类的语言施为相差很远，说明大语言模型可以成为人类语言理论的说法缺乏足够的证据支持。Dentella（2024）与陈旭、司富珍（2024）、李富强、康兴（2024）运用了相似的测试方法，即就一系列低频结构对不同类型的大语言模型进行测试，得出的结论都是：尽管当前的大语言模型具有很高的实用性，但仍难称其具备人类一样的语言能力。值得关注实证研究还有 Massaro & Samo（2023）在句法制图理论背景下关于左缘结构成分的研究。该研究考察了 ChatGPT 处理意大利语及其方言中的左缘结构成分的能力，结果显示，大语言模型对句法操作中的重新排序存在某种偏向性，而在处理共指性问题上也存在困难，在处理不同语言时表现也不同。

　　同样是以大语言模型为研究对象，为何不同的学者给出的评价相去甚远，不同的实验呈现出的结论截然不同？有学者对这一现象的背后原因进行了剖析。例如 Zhang et al.（2023）指出，一个可能的原因在于有许多实验研究考察的问题较为肤浅、没有抓住问题的核心，导致出现"天花板效应"，无法探究和体现出大语言模型与人类语言能力的真正差距。而只要对这些实验加以巧妙设计，增加语料的复杂度，大语言模型的一些不足之处便会暴露无遗。而经典的生成语法文献可以为此提供更多切入思路。例如，Chomsky（1965）提出 5 种不同句法复杂程度的构式，其中多分枝式（multiple-branching construction）最为简单，嵌套式（nested construction）和自嵌式（self-embedded construction）则会增加结构的复杂性。在此理论基础上，Dentella et al.（2023b）选取并设计了 7 种不同复杂度的句式对 GPT-3 进行了测试，分别是多分枝式、嵌套式、自嵌套式、比较级错觉（comparative illusion）、同一成分回避原则的违反（identity avoidance violation）、一致关系吸引（agreement attraction）和语义反常（semantic anomaly），通过对话的形式要求 GPT-3 对上述类型的句式进行合语法性判断，并对不合语法的句子做出修正。结果显示，GPT-3 只在"一致关系吸引"这一种场景下能够做出正确回应，例如对于"The key to the drawers are on the table."（抽屉的钥匙在桌子上。）能够准确判断其语法错误，并给出"The key to the drawers is on the table."和"The keys to the drawers are on the table."两种修改版本；而对其余 6 种更为复杂的结构类型，GPT-3 给出的回答则要么答非所问，要么一知半解，要么自相矛盾。Biever（2023）也认为，许多大语言模型都能在测试基准中表现良好，这并不能说明它们超越了人类这些方面的能力，而是因为这些测试基准本身具有局限性。可见，在考察评估大语言模型的语言能力时，还需要更加谨慎、全面地进行语料选取和实验设计，才能使结论更为客观、准确，具备说服力。

三、关于大语言模型语言能力的几点思考

　　回到文章开头提及的"图灵之问"上来，大语言模型能否被视作人类语言习得的模型？ChatGPT 和大语言模型的成功对于语言学理论的意义何在？能否推翻和取代现有理论语言学理论模型？目前并不能得出颠覆当今主流语言学理论关于人类语言本质的核心假设的结论，正反双方的辩论都需要更多更新证据的支持。相信随着人工智能领域对于大语言模型（或更高形态的语言模型）的进一步开发，以及语言学相关领域对人类语言本质认识的进一步深入，双方还将碰撞出更多思想火花。就现阶段而言，若要真正将大语言模型服务于对自然语言和人类认知本质的探究，大语言模型的建构者和研究者至少还应该思考以下几个方面的问题。

（一）科学理论与工程应用的区分

　　乔姆斯基主张要明确区分"科学"（science）和"工程"（engineering）这对概念（Chomsky 2022）：科学指涉对事物自然现象的思考和理解，探索为何事物是以这样的而不是别的方式存在，旨在对现实世界中的各种现象做出解释；而工程则是应用我们从科学中得到的知识来解决实际问题。ChatGPT 的成功，标志的是工程领域的成功，而非科学理论建构的成功。对于这个问题，乔姆斯基在十几年前就统计模型发表的看法至今仍具有启示意义——"在科学史上，似乎从没有人这样界定'成功'，

也就是把'成功'解释为对未经分析的数据的拟合"（Chomsky 2011）。其中的两个关键词"拟合"（approximate）和"未经分析"（unanalyzed）道出了大语言模型无法取代语言学理论的关键："拟合"意味着大语言模型与人类语言能力不具有同一性，"未经分析"则暗示大语言模型不是解释性的理论。如果一个关于语言的系统无法对语言知识的基本方面做出刻画，不能对语言的深入理解做出合理解释、不能回答"为什么"的问题，那么就根本称不上科学理论。这样的道理我们并不陌生，计算器早在几十年前便可以代替人类的数学算式，机器的数学运算水平早已超越人类（至少在数学施为的层面上），但从不会有人说数学理论被计算器的发明所颠覆。

与此番景象形成鲜明对比的是，乔姆斯基所倡导的生成语法自诞生之初便以构建语言科学理论体系为愿景，而最简方案以来的理论模型更是指向了一个更高的境界——"超越解释的充分性"，就是不仅要对语言习得和语言本质的问题做出"是什么"的回答，还要进一步追问"为什么"的问题（司富珍 2008）。伴随着生成语法理论发展起来的生物语言学事业，更是从定义属性上关注人类语言的生物本质，力图回答的问题包括：语言表现型（phylogeny）的属性是什么？个体的语言能力是如何发展和成熟的？语言是如何被使用的？语言是如何在大脑中实现的？是什么进化过程引发了人类语言的产生？（Chomsky 1965，1976；Sciullo & Jenkins 2016；Moro 2016）而这些问题，无一例外地都在大语言模型所关切的问题范围之外。

一言以蔽之，大语言模型的成功是工程应用的成功，而非科学理论的成功。其强项是依靠观察分析海量语言数据，迅速做出判断和实施语言行为，较好地预测和模仿在给定的上下文中可能出现的词语。但这种模仿行为虽然高效，却无助于解释语言现象和语言本质；而透过语言现象对语言本质提供解释，则是包括生成语法理论在内的现代语言科学理论的核心。

（二）"可能的语言"与"不可能的语言"的区分

大语言模型和人类语言能力的另外一个重要区别，在于是否能够辨识"可能的语言"和"不可能的语言"（Moro 2016）。大语言模型由于没有任何内置的具体语言规则，其计算能力过于强大，在面对违反语言规则的语言数据，包括那些非层级性的"扁平"结构时，也依然会像对待人类语言一样进行操作。换言之，无论是可能的语言还是不可能的语言，大语言模型都会不加区分地照单全收（见 Mitchell & Bowers 2020；Chomsky 2022；Moro et al. 2023）。

从科学方法论的角度看，一个不能对"可能的"和"不可能的"加以区分的系统，其科学价值必然大打折扣。因为理论的建构和评价标准之一是看被评价的理论对现象和事实的预测能力。一个具有预测力的科学理论首先应该能够预测和分辨哪些是"可能的"事实，哪些是"不可能的"事实。一个经典的正面例子是，在化学领域，元素周期表不单单对现实世界中的化学元素做出系统性的描绘，还精准地区分了可能的（尚未在现实世界中发现，但可以通过元素周期表推断出来的）化学元素和不可能的（无法通过元素周期表推断出来的）化学元素。大语言模型显然还远未达到这样的理论水准。就现状而言，大语言模型既不足以刻画一种语言中所有可能存在的正确句子，也无法将不可能的句子全部排除在外（Aboufoul 2022；Bolhuis et al. 2024）。

人类语言加工机制与大语言模型有着本质的不同，它能够对可能的语言和不可能的语言做出显著的区分反应。这一点已经得到了若干实验研究的支持。例如，Moro et al.（2001）、Tettamanti et al.（2002）和 Musso et al.（2003）等利用 fMRI 等技术开展的脑生理实验表明，在习得一种自然语言中的可能规则（具有递归和层级性的结构规则）时，被试布洛卡区（句法加工区域）的激活程度会相应得到提升；而相同被试在习得一种人工设计的不可能的语言规则（例如在实验设计中始终将否定句的否定词"no"安排为句子线性序列的第 4 个单词，或者始终让句子的第一个冠词与线性序列中最后一个名词保持一致关系。这些都是使用了线性规则而非人类语言中普遍存在的层级结构的"不可能的"人类语言结构规则）时，布洛卡区则不会出现显著的激活。

结论是，大语言模型无法像人脑一样区别"可能的结构"和"不可能的结构""可能的语言"和"不可能的语言"，也就无法对人类语言为什么是"这样"而不是"那样"的问题给出深刻的洞察和合理的回答，因此二者具有本质的不同。

（三）刺激贫乏与语言先天性

关于人类语言与大语言模型存在本质差别的另外一个关键证据是人类语言的"刺激贫乏"及大语言模型的海量数据刺激之间的对比（如 Warstadt & Bowman 2022）。

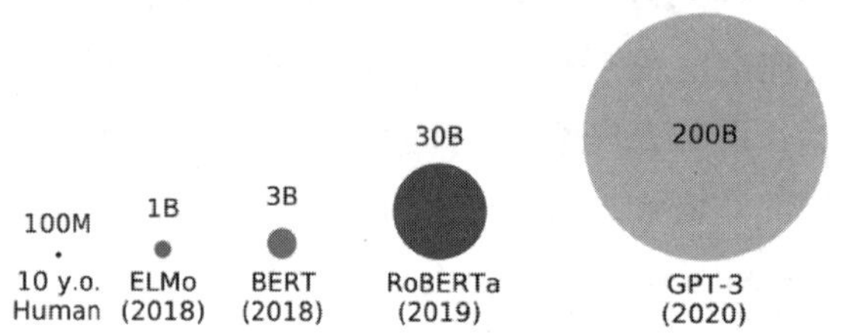

图 3　人类与大语言模型语言输入量对比（引自 Warstadt & Bowman 2022）

人类儿童在"刺激贫乏"的情况下却能迅速且步调一致地习得母语，这一"伽利略谜题"长期以来一直深受关注，并催生出了"语言天赋假说"（Chomsky 2017；司富珍 2024）。有研究以美国儿童为例表明，孩子从出生成长至两岁时，约能听到 1000 万～3000 万个单词（Hart & Risley 1995）；图 3 显示了 10 岁儿童与大语言模型语言输入量之悬殊。而 GPT-3.5 则使用了高达 570GB 的文本作为训练数据，约合 1140 亿个单词（Chemero 2023），这也是这类技术被称为"大"语言模型的根本原因。粗略换算下来，ChatGPT 比两岁儿童多接触了 5000 倍的外部单词输入，才获得如今水平的语言能力。这一天文数字级别的输入量堪称"豪华"，与儿童语言习得的"贫乏"形成鲜明对比。即便将 ChatGPT 同时掌握数十种语言的情况考虑在内，这一问题仍然不可忽视地存在。大语言模型行业内部也注意到了这一问题，因此已经有研究人员开始尝试以 13 周岁儿童级别的语言输入量（约合 1 亿单词）作为训练大语言模型的输入文本（如 BabyLM Challenge[①]），来探究在相近的语言接触之下能否涌现出相当水平的语言能力。不过，这项研究至今尚未取得理想的结果。

可见，Piantadosi（2023）等人的立论忽略了如下重要事实：大语言模型需要大量输入才能勉强接近人类的语言表现，而人类儿童在与外界非常有限的、个体化的接触中却可以创造性地产出和理解从未听到过的句子。因此，大语言模型取得的成功，至多只能说明大语言模型自身没有内置语言知识（而这一点也仍存疑点和争议），绝不能直接推导出它可以代表人类语言的机制。

（四）句法在人类语言中的中心地位

在主流的生成语法理论体系里，语言被定义为"由生物决定的能够无限地产出具有层级结构的表达序列的计算认知机制"（Chomsky 2015；Friederici et al. 2017）。在生成语法理论看来，语法具有自主性，独立于语义（Chomsky 1957），句法计算系统构成了整个语言系统的基础（司富珍 2008）。

而就大语言模型的句法能力而言，尽管有学者认为大语言模型已经能够很好地完成与长距离依存

---

① 　https://babylm.github.io/.

相关的语言任务（如 Wilcox et al. 2022），但实际上通过一些简单的测试手段便足以推翻这一结论，例如上文提到 Katzir（2023）发现，大语言模型倾向于选用 are 而非 destroys 来续写"The little duck that saw the horses with the blue spots yesterday ..."（昨天看见蓝色斑点马的小鸭子……）这句话，显然在做选择判断时将语义因素置于句法因素之前，浑然不顾 duck 与 are 在句法一致性上存在的问题。又如，图 4 是本文作者在中文语境下对 GPT-4 进行测试的结果（不同时间、数次独立测试均给出了同质的结果），同样暴露出大语言模型的逐词预测工作原理往往倾向于将语义上的可能性摆在更加优先的位置：

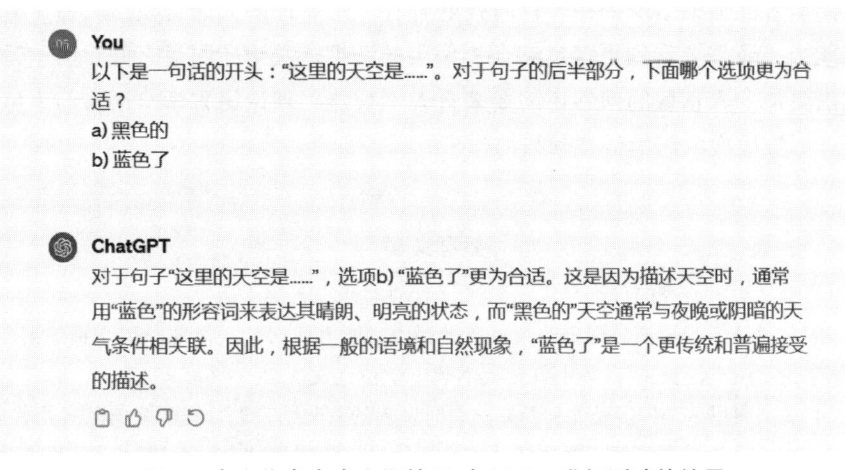

图 4　本文作者在中文语境下对 GPT-4 进行测试的结果

以上证据显示，基于概率统计模式的大语言模型并不具备句法自足性，在大语言模型"生成"语言的过程中，句法并不占据绝对的主导地位。而句法在人类语言中的中心地位却是与生俱来的。有证据表明，儿童在习得语言的过程中很少发生违反结构依存原则的错误（Chomsky 2013；Sciullo & Jenkins 2016）。乔姆斯基（Chomsky 2022）指出，"婴儿明明听到的是线性顺序，但却将其尽数忽略，而只关注他从未听到的那些由大脑所构建的抽象结构。"也就是说，人类大脑先天地具备层级结构的加工能力和优势。而同样暴露于线性语言序列中的大语言模型（且不论数量级的差距），则长期以来一直苦于寻求处理层级结构和长距离依存的最优解。由此看来，那些试图将 ChatGPT 类比为语言能力尚未发育完全的儿童的看法（如 Everett 2023；Lake & Baroni 2023），显然忽视了 ChatGPT 与人类儿童的这一显著区别。Piantadosi（2023）所代表的一方显然未将这些重要因素考虑在内，就得出了大语言模型具备了与人类相当的语言能力这一结论，在此基础之上所做出的更进一步的判断和推论也就更需谨慎看待了。

四、结　语

对比了围绕大语言模型和人类语言本质展开争鸣的两个对立阵营的代表性观点后，我们认为，Piantadosi（2023）等将大语言模型上升为科学理论高度的看法存在理论与方法两方面的问题，难以自圆其说。在将大语言模型与人类语言官能进行对比研究时，我们首先需要思考"比什么"和"怎么比"的问题。例如，是否能够分辨和预测"可能的结构"和"不可能的结构"，是否能够对"孤岛效应"等做出同样的操作反应，在左缘结构语用信息句法化的计算方面（司富珍 2023）是否有一致的表现，是否有能力在"贫乏刺激"和"手段"有限的情况下"生成"无限的表达，等等。以目前呈现的证据来看，尽管已有大量研究表明大语言模型可以依赖于海量文本数据的输入，在没有嵌入直接的语法规则的情况下掌握良好的语言运用能力；但囿于不同的工作机制，大语言模型无法像人类一样在"刺激贫乏"的条件下习得语言，也无法对"可能的语言"与"不可能的语言"加以原则性的准确区分，更不可能像生成语法理论那样对人类语言与脑科学中的"伽利略谜题"做出富有洞察力的合理的理论解释。

当前，人类正在进入"人机共生"的新时代（李宇明2023），人工智能技术持续翻新迭代，关于大语言模型和人类语言能力的争辩仍在等待时代的解答。想要证明大语言模型具备了真正意义上的与人类相当的语言能力，还需要看到更多足够令人信服的证据。关于"图灵之问"的争辩还只是刚刚拉开序幕，对它做出更加令人信服的回答还需要来自人工智能、理论语言学、语言与人脑科学相关多个领域的科学工作者更深层次的跨学科互动与协作。

参考文献

陈　平　2021　《语言交叉学科研究的理论与实践》，《语言战略研究》第1期。

陈　旭，司富珍　2024　《基于汉语孤岛现象的大语言模型语言能力评估》，《昆明学院学报》第5期。

杭慧喆　2016　《摩尔论"图灵测试"》，华中科技大学硕士学位论文。

杰弗里·辛顿　2024　《杰弗里·辛顿接受尤利西斯奖章时发表的获奖感言》，陈国华，译，《当代语言学》第4期。

李富强，康　兴　2024　《大语言模型新兴语法解读能力评估：以完成体"有"为例》，《昆明学院学报》第5期。

李宇明　2023　《"人机共生"的时代》，《语言战略研究》第4期。

林茂灿　2020　《用AI技术研究自然口语，可以提上日程了》，《语言战略研究》第5期。

刘海涛　1997　《依存语法和机器翻译》，《语言文字应用》第3期。

刘海涛　2001　《关于自然语言计算机处理的几点思考》，《术语标准化与信息技术》第1期。

刘海涛　2008　《基于依存树库的汉语句法计量研究》，《长江学术》第3期。

司富珍　2008　《语言论题——乔姆斯基生物语言学视角下的语言和语言研究》，北京：中国社会科学出版社。

司富珍　2023　《句法制图理论研究》，北京：外语教学与研究出版社。

司富珍　2024　《语言与人脑科学研究中的"伽利略谜题"》，《外国语》第2期。

孙茂松，周建设　2016　《从机器翻译历史看自然语言处理研究的发展策略》，《语言战略研究》第6期。

荀恩东　2022　《自然语言结构计算GPF结构分析框架》，北京：人民邮电出版社。

Aboufoul, M. 2022. Despite their feats, large language models still haven't contributed to linguistics. *Medium*. https://towardsdatascience.com/despite-their-feats-large-language-models-still-havent-contributed-to-linguistics-657bea43a8a3.

Baroni, M. 2022. On the proper role of linguistically-oriented deep net analysis in linguistic theorizing. *ArXiv*. https://arxiv.org/abs/2106.08694.

Biever, C. 2023. ChatGPT broke the Turing test — the race is on for new ways to assess AI. *Nature* 619(7971), 686–689.

Bobrow, D. & A. Collins.1975. Representation and understanding: Studies in cognitive science. *Psychology*. https://api.semanticscholar.org/CorpusID:142257184.

Bolhuis, J. J., S. Crain, S. Fong, et al. 2024. Three reasons why AI doesn't model human language. *Nature* 627(8004), 489-489.

Chemero, A. 2023. LLMs differ from human cognition because they are not embodied. *Nature Human Behaviour* 7(11), 1828–1829.

……

（因版面不足，以下参考文献从略，可在中国知网上阅读、下载完整版）

责任编辑：王　飙

大语言模型在哪里挑战了语言学？[*]

石　锋

（南开大学　文学院　天津　300071）

提　要　"人工智能教父"辛顿对乔姆斯基的批评，值得语言学者思考：大语言模型究竟在哪里挑战了语言学？本文讨论以下问题：（1）搞大语言学还是小语言学？这一问题涉及语言学研究对象拓展和研究范式转换。当前特别需要把小语言学观念转变为大语言学观念，建立基于数据和概率统计的多学科、跨领域的科学观。大语言学向外融合文、理、医、工等多学科，向内跨越语音、语法、语义、语用等多领域，海阔天空，大有作为。（2）语言和思维可分还是不可分？人类的思维可以离开语言，语言不可离开思维。思维是为了交流，没有新信息，思维会失去活力而枯竭。不能人为地把思维和交际分离开。（3）语言习得是先天的，还是经验的？人工智能弃用乔姆斯基的语言先天论，转而基于语言经验论，取得了里程碑式的成功。（4）人工智能会不会有思维，甚至有生命？人工智能不会具有生命。人工智能的语言是离开思维的语言。流利的语言并不等于自主的思维。离开人类智能的主宰操控，人工智能将一事无成。我们要学会驾驭人工智能，适应这个有了人工智能的世界，去创造更加美好的未来。

关键词　人工智能；大语言学；自主思维；概率匹配；复杂适应系统

中图分类号　H002　**文献标识码**　A　**文章编号**　2096-1014（2025）01-0087-10

DOI　10.19689/j.cnki.cn10-1361/h.20250108

Where Do Large Language Models Challenge Linguistics?

Shi Feng

Abstract　The critique of Chomsky by Geoffrey Hinton, often referred to as the "Godfather of Artificial Intelligence", raises profound questions about the intersection of linguistics and artificial intelligence. This paper explores four critical dimensions where large language models are fundamentally challenging traditional linguistic paradigms: (1) Should we pursue macro or micro linguistics? This debate fundamentally concerns the expansion of linguistic research objects and methodological transformations. The current academic landscape urgently requires a conceptual shift from a narrow, discipline-confined linguistic perspective to a comprehensive, interdisciplinary approach. The proposed "macro linguistics" advocates that macrolinguistics can integrate with disciplines such as humanities, science, medicine, and engineering, and span various domains like phonetics, grammar, semantics, and pragmatics, offering vast potential. (2) Are language and thought inseparable or distinct? The question challenges traditional dichotomies, and the current research argues that Human thought cannot be entirely separated from language. Communication is the primary purpose of thought and thought loses vitality without novel information. Artificial attempts to disconnect thought from communication are counterproductive. (3) Is language acquisition innate or experiential? Artificial intelligence has significantly challenged Chomsky's innateness hypothesis by abandoning the theory of language as a pre-programmed, innate capacity and embracing language as fundamentally experiential, achieving milestone successes through experience-based learning models. (4) Can AI possess thought or even life? The paper presents

---

*　作者简介：石锋，男，南开大学教授，主要研究方向为实验语言学、语言演化、语言习得。电子邮箱：shifeng@nankai.edu.cn。

a nuanced perspective on AI's cognitive capabilities. We argue that artificial intelligence cannot possess life in the biological sense. AI's language is fundamentally disconnected from genuine thought, linguistic fluency does not equate to autonomous thinking and AI remains dependent on human intelligence and control. Without human intelligence to guide and control, AI will accomplish nothing. The conclusion emphasizes human agency: we must learn to navigate and harness artificial intelligence, adapting to this new technological landscape to create a more promising future.

Keywords　artificial intelligence; macrolinguistics; autonomous thinking; probabilistic matching; complex adaptive systems

一、引　言

2022 年年底，ChatGPT 横空出世，人工智能进入大语言模型时代。有着"人工智能教父"之誉的杰弗里·辛顿（Geoffrey E. Hinton）2024 年 10 月 8 日获得诺贝尔物理学奖后，在获奖访谈中说："神经网络在处理语言方面，比乔姆斯基语言学派产生的任何东西都要好得多。"此前，他在都柏林大学学院接受尤利西斯奖章的获奖感言中，就曾毫不客气地指出"语言学家被一个叫乔姆斯基的人误导了好几代"（陈国华 2024）。他对乔姆斯基语言学的批评，引起了语言学界的强烈反响，或赞同，或反对，莫衷一是。我联想到以前有两个人对于西方语言学的评论。一个是鲍林杰（Bolinger 1981）："没有哪一个科学领域像语言学那样，存在着如此之多的谬误，不仅存在着，而且还继续被当作真理传授着。"一个是杰里内克（Jelinek 1988）："每次我炒掉一位语言学家，言语识别系统的表现就会提升。"可是他又说："我可以跟语言学家很好地合作。"（Jelinek 2005）作为语言学家，重要的不是去赞成或反对，而是需要认真反思：大语言模型在哪里挑战了语言学？语言学该怎样把挑战变为机遇？

正如雅可布森高度称赞索绪尔开创现代语言学的历史功绩的同时，也指出"甚至其中的错误和矛盾也能给人启示"（罗曼·雅柯布森 1942/2001：66），实际上，有些语言学的基本问题，从索绪尔就开始改变了（石锋 2013）。乔姆斯基不过是把这种改变推向极致。我曾写过《音义结合是任意的吗？——重读雅可布森评索绪尔之一》（石锋 2013）、《语言之谜：来自人工智能的挑战》（石锋 2023）等文章。以下是几个不成熟的想法，抛砖引玉，请大家指正。

二、大语言学还是小语言学？

关于搞大语言学还是小语言学的问题，涉及语言学研究对象的拓展和研究范式的转换，或者如沈家煊所说的，是关系到语言学的内涵和外延的扩展[①]。索绪尔（1980:43）强调纯语言学："我们的关于语言的定义是要把一切跟语言的组织、语言的系统无关的东西，简言之，一切我们用'外部语言学'这个术语所指的东西排除出去的。"乔姆斯基（Chomsky 1965）坚持语言研究的对象是"理想化的说话人和听话人的语言知识"。可见，从索绪尔的纯语言学到乔姆斯基的理想说话人，思想观念是一脉相承的。这好像是自己给自己划出一个小语言学的圈圈，把语言跟人群和社会隔绝开来。小语言学是追求规则性的还原论科学观，大语言学则是追求概率性的演化论科学观。我们当前特别需要把小语言学观念转变为大语言学观念，建立基于数据和概率统计的多学科、跨领域的科学观。

语言是什么？"语言是人跟人互通信息，用发音器官发出来的、成系统的行为的方式。"（赵元任 1980：3）英国著名语言学家杰弗里·利奇讲："语言学天生是跨学科的……语言天然地分布在多个学

[①]　出自沈家煊在商务印书馆"大语言模型与语言学发展座谈会"上的口头发言。

科的边界处。"① 语言学天然具有多学科的性质。这意味着语言学从来不是一个独立自足的学科。

雅可布森、拉波夫、王士元都提倡并且实践大语言学的研究。例如，雅可布森对照儿童的语言发展，考察失语症病人的语言消退，写出《儿童语言，失语症和语音普遍现象》（1941）。他带着学生哈勒（M. Halle）跟声学语音学家方特（G. Fant）合作完成《语音分析初探：区别性特征及其相互关系》（1951）。拉波夫研究异质有序的语言变异。他的团队经过长期广泛的调查访谈和实验测算，写出多年学术积累的三卷本巨著《语言变化原理：内部因素》（1994）、《语言变化原理：社会因素》（2001）、《语言变化原理：认知和文化因素》（2010）。王士元最早利用计算机建成汉语方言语料库，创立词汇扩散理论；现在义在研究演化语言学，利用脑科学技术探索儿童语言产生和老年语言衰退的神经机制。

大语言学内部具有跨领域的特征。语音、词汇、语法、语义、语用等分野并没有明确的独立性。"真的语言是大半有规则，小半不规则的一个系统。"（赵元任 1965a/2002：590）不仅是全部语言成分大半有规则，小半不规则，而且还应该包括全部的语言分野、语言范畴和语言层级的划分，这些同样是大半有规则，小半不规则的。这就意味着，在任何单一分野或单一层级内部不可能解决这一分野和这一层级的所有问题，都不是自足的。即语言学内部各分野、各层级之间也要互相补充、彼此结合才有可能解决问题。

那种语言内部的语音、词汇、语法、语义、语用各自成为一统，相互分离的想法和做法，都是不可取的。为什么语调问题一直难以解决？因为这本来就不是单纯的语音问题。为什么汉语的主语谓语问题长期纠缠不清？因为这根本就超出了语法的小圈子。所以赵元任说："汉语里主谓结构的含义并非像大多数印欧语言那样是动作者与动作的关系，而是话题与说明的关系。作为一个特例，动作者与动作的关系也含于其中。"（赵元任 1954/2002：805）可见他根本就没有把语法、语义和语用之间的界限看作不可逾越的雷池。

吕叔湘、朱德熙（1952）《语法修辞讲话》把语法和修辞结合在一起。陆俭明（2024）的"语义制约语法"讲"语法问题说到底是语义问题"。沈家煊（2020）提出，大语法"同时是'语义语法''语用语法''声韵语法'"。这些都表明我们中国语言学是有着大语言学传统的。美国欧哈拉（J. Ohala）提倡语音学跟音系学结合。我们的"语音格局"学术理念和研究范式就是用实验的方法研究音系学的捷径。这说明我们在这方面的观念和实践上并不落后。

综上所述，人工智能对语言学挑战的重要意义之一，就是用事实打破了小语言学、纯语言学的旧框框，带给我们建立新的大语言学观念和研究范式的机遇。语言学是经验科学，不是玄学。不能只是在书斋里坐而论道，而是要去调查、实验、探索、发现。大语言学向外融合文、理、医、工等多学科，向内是跨越语音、语法、语义、语用等多领域，海阔天空，道路宽广，大有作为。

三、语言和思维，可分还是不可分？

我在《语言之谜：来自人工智能的挑战》一文中写道："语言是用来交际的还是用来思维的？乔姆斯基说语言是思维的，不是交际的，这个可以讨论。语言和思维可分还是不可分？乔姆斯基认为语言和思维不可分，这也可以讨论。"其中第九节就是讨论"语言和思维可以分开吗？"，这里再做些补充说明。

---

① 　出自利奇在一个访谈记录中的说法。网络出处失记。

　　语言和思维的关系问题，其实是一个老问题。很多教科书上都讲思维离不开语言。其实是语言离不开思维。20 多年前我给学生上语言学概论课就讲过，人类思维可以分为形象思维、抽象思维、悟性思维和技术思维，其中只有抽象思维跟语言关系密切，需要语言来使抽象思维清晰化、条理化，并且用语言来表达出来（石锋 2023）。形象思维，如画家用图画来表现思想，音乐家用旋律来抒发感情，可以不用语言；悟性思维，是一个谜题纠缠于心，久拖未解，偶遇触发，恍然大悟，也可以不用语言。技术思维，如体育运动、工艺制作、非遗传承，都是可以不用语言就能够完成的。

　　这几种思维方式当然不是各自孤立的，而是彼此联系，相互补充的。所以，对于人类来说，思维可以离开语言，而语言不可离开思维。这是一种单向的蕴含。语言中有很多这样单向蕴含的不对称现象。人们常常会有"只可意会，不可言传"的状态。因为人的一切活动行为都是由思维来支配的。思维所涵盖的范围比语言更加广阔。这个问题澄清了，解决了，才好进一步理解和认识大语言模型生成的语言为什么会一本正经地胡诌，那是因为它只是基于语言数据而不是基于认知思维。

　　在中国传统文化中，语言和思维不是一回事。道可道，非常道；名可名，非常名。可是在西方传统文化中，语言和思维常常混在一起，如：语言的边界就是世界的边界（维特根斯坦语）。其实，语言知识并不是人类所学习和掌握的全部知识。人们通过形象思维、悟性思维和技术思维同样可以获得知识。当然，抽象思维以语言作为表达工具是很重要的。"人类之所以演化成为'地球主宰'，很大程度上是因为我们发明了语言。"（王士元 2024）特别是记录语言的文字可以突破空间和时间的限制，把人类的知识传播开来，积累起来。这样，后人就能够站在前人的肩上不断进步。这种文化的演进比生理的演进在时间上要缩短千百倍。我们说思维可以离开语言，只是对于事实的陈述，并不否认语言对于人类社会的重要作用。

　　再来看语言是用于思维还是用于交际的问题。乔姆斯基是主张语言用于思维而不是用于交际。最近有几位神经科学家在《自然》（Nature）刊物上发文（Fedorenko et al. 2024），用实验证明语言主要是一种交流的工具，而不是一种思考的工具。她们利用功能性磁共振成像（fMRI）技术，找出那些专门参与语言以及思考和推理的大脑区域，发现当人们进行各种形式的思考时，大脑中跟语言相关的区域是沉默的，即思维能力是由大脑的其他区域支持的。因此语言是用于交际的，没有语言，同样可以思维。

　　根据脑成像的证据，严重失语症病人（失去语言交流能力）照样可以解决数学计算、下棋，具有做出决策的能力。同时，智力障碍疾病或者神经精神疾病的患者，思维和推理能力受到限制，可他们的基本语言功能不一定有问题。另外，口吃的人语言产生卡顿并不表明他的思维卡顿。我们往往会记得别人的相貌而想不起他的名字，这说明直接的视觉图像记忆跟间接的语言符号提取是不同步的。语言不是思维的必要条件。这个结论对于我们认识理解大语言模型的原理和本质极为重要。

　　人们在准备讲述一个事件、论证一个观点、写作一篇文章的时候，先要在大脑里想好表达的条理次序和选用的词语句式。这就是人们在思考问题时的内部语言，可以看作自问自答，自己跟自己交际。思考的目的是什么？是为了说出来更好地表达思想，跟他人交流信息。写文章的目的是什么？是为了给别人看，更广泛地交流信息。外部语言就是我们平常讲的自然语言，内部语言就是前语言。只有表达出来成为语言，别人才能知道，你的思考才有意义。同时，通过交流，得到反馈的信息。交际就是交流信息，只有通过交流得到新信息，思维才会有内容。没有新信息，思维会失去活力而枯竭。交际是思维得以进行和发展的基础条件。所以，我们大可不必对思维和交际进行人为的分离和割裂。

四、语言习得是先天的，还是经验的？

人工智能弃用乔姆斯基的语言先天论，转而基于语言经验论，取得了里程碑式的成功。经验是什么？经验就是频率，经验就是概率。经验多就是高频，经验少就是低频。高频就是概率大，低频就是概率小。赵元任（1965b/2002：522）讲："小孩子学语言，就是老听老听，老听那种语言在什么情形说甚么话。他把说那种话跟那种情形联系起来，就可以知道那句话的意义了。"不断地增加概率，熟能生巧。儿童就是这样学会说话的。

拉波夫（Labov 1994：745）写道："语言学习的实际情况显示出：儿童所习得的变异规则的使用频率，是和他们所处的环境相匹配的。"他强调："这并不是一个关于儿童学习会表现出概率匹配的假设。它只是对所观察到的事实进行一个简单的描述。"第二语言习得的情况也是一样，"学习一个语言是要说过的若干分量，若干种的话。说到了自己会说出像样的话了，以后就出口成话了"（赵元任1965a/2002：589）。这就是语言的涌现，功到自然成。

语言的本质就是一种语言符号的概率分布模式。我在《语言之谜：来自人工智能的挑战》第 7 个问题"人类是怎样学习语言的？"的讨论中，曾经提出语言习得的概率匹配法则：母语习得和二语习得的本质就是对语言要素连同其语境和论域的概率匹配。概率增加到相当大，就会发生涌现，习惯成自然，就成为语感。

形式模仿和概率匹配是人和动物共有的本能。概率匹配其实就是高级的模仿。本能都是先天的。可见，语言不是先天的，形式模仿和概率匹配才是先天的语言学习机制。概率需要实践经验的积累储存，包括形式的储存和内容的储存。孔子的"学而时习之，不亦乐乎"中的"时习之"，就是经常地练习。对于人类语言的概率性质，其实有些学术敏感的语言学者早就有意或无意的，在不同程度上有所发现，并有所研究。只是大多都被学者们所忽略，或者都被视为非主流、非本体，而被排除在主流和本体之外。

雅可布森研究的儿童学母语的语音遵循的顺序，其实就是概率大的先学会，概率小的后学会。哈佛大学教授齐夫在 20 世纪 40 年代就提出词频分布的齐夫定律（Zipf's Law）[①]。王士元的词汇扩散理论，哪些词先变，哪些词后变，都跟词的频率有关。我们曾考察天津话声调的变化（石锋，王萍 2004），发现朝向标准语的变化是低频词领先，背离标准语的变化是高频词领先。沈家煊（1999）的《不对称和标记论》中，无标记是高频成分，有标记是低频成分。语法就是用法的固化。概率大的就是规则，概率小的就是例外。陆俭明的语义和谐律和语义制约语法说，也是跟概率相联系的。何谓和谐？共现概率大，就和谐；共现概率小，就不和谐。优选论风靡一时，最具概率色彩，这一点可能提倡者自己都没有意识到。优选就是优势选择。优势就是概率大，劣势就是概率小，肯定没有百分之百的情况。我们依据实验数据做出语音格局、语言格局，就是语音成分或语言成分的概率分布模式。

赵元任（1965a/2002：587）曾经说可以把现代的中国话定义为："现在活着的中国人说过的所有的话加起来的总和"。这句话好像有些熟悉哦！现在的人工智能就是基于大语言模型的，这个语言的定义正符合现在的大语言模型的设计思想。赵先生至少早在 1965 年就把它的轮廓勾勒出来，并且把这个定义的理念成功地应用于语言习得和语言教学当中。真是了不起！所以现在的人工智能就是在继

[①]　参见：马齐勇《齐夫定律：描述词频分布规律的强大数学工具》，环球网，2016 年 5 月 9 日，https://tech.huanqiu.com/article/9CaKrnJViLF。

续拓展那些"非主流"语言学家已经在做的，并且需要其他语言学家都来做的事情。

前面讲过，"真的语言是大半有规则，小半不规则的一个系统"（赵元任 1965a/2002：590）。语言实际上就是一种复杂适应系统，即开放的系统。对于封闭系统，适用于规则；对于开放系统，适用于概率。即，简单封闭系统是规则系统，复杂开放系统是概率系统。语言就是一种概率分布模式。儿童学会母语，学生学会一种外语，就是学会这种概率分布模式，进行概率匹配和模式匹配。这就是人类语言的一个重要奥秘，也是大语言模型重要的设计原理和工作原理。

对于人工智能的成功，对于大语言模型的原理，有的学者讲"不可解释"，用那些先天论的理念和规则系统的观点当然不可能解释语言这种概率系统。当年机器翻译有两条路线，一条走规则，一条走概率。这就是对于语言是规则系统还是概率系统的两种不同的观念。以规则为基础最多只能达到 70% 左右的正确率，这应该就是那有规则的大半。统计路线当时受到数据量的限制，加之硬件算力不足，软件算法不精，遭遇冷落。如今这 3 个难题都可以解决，人工智能一飞冲天。以概率为基础的正确率能达到多少？那 70% 有规则的正确率肯定是 100%；剩下 30% 不规则的正确率可以在 90% 以上。这加起来的正确率应该超过 95%。所以，语言并不是规则系统，而是一种基于概率的复杂适应系统。

人工智能深度学习跟人类大脑学习方式是否相同？有人说二者完全不同，有人说二者完全一样，这两种说法都各有偏颇。实际上应该是有同有异。相同的方面主要是，在采用概率匹配基本原理方面具有一致性。心理学界对儿童学习语言时的概率词切分即语音统计学习已经有大量实验证实发现，是成熟的范式。实验证明，人脑的感知和理解语言，也是预测式的，由记忆概率和输入信号的自然特征共同拟合，即相互匹配。

人类有很多科学技术是对各种生物的模仿，而人工智能则是不完全地模仿人类自身获取知识、习得语言的过程。人工神经网络就是对人类大脑神经元突触连接而成的神经网络的模仿。所以人工智能可以说是人脑的不完全仿制品，或按照史有为的说法，是类仿生制品。[①] 所谓心理词库就是大脑中的记忆库，词语连同它所在的结构和语境一起储存在神经网络的长时记忆中，这相当于大语言模型的词向量数据库。连接强度就是概率权重。人工神经网络、深度学习、大语言模型的成功，在很大程度上是一种仿生学的实践。

这里顺便对一个人们关注的问题做出简单的解释。儿童语言和人工智能语言同样都很少有语法错误，这是出于同样的原因：输入的都是正常语料，当然会输出正常的语句。

五、人工智能语言跟人类自然语言有什么差异？

面对当前人工智能的快速进展，人们开始谈论人工智能是否会成为硅基生命，是否会优于人类这种碳基生命，甚至会出现硅基生命取代碳基生物的前景。如 OpenAI 公司前首席科学家伊利亚就非常担心，感觉大语言模型似乎出现了某种自我意识。马斯克也是强烈地戒备 ChatGPT 可能会具有自我意识。人工智能的发展使我们有机会和有条件重新反思生命和非生命，意识和非意识，思维和非思维，语言和非语言。

如果我们前面讲的是大语言模型对主流语言学理论的挑战，以及大语言模型对人类语言的挑战，那么这里已经涉及大语言模型对人类自身的挑战了。我们可以把问题分解为 3 个不同的层面：（1）生

---

① 　出自私人通信。

命和非生命，即生物和非生物之间的根本区别在哪里？这关系到人工智能是否可以有生命。（2）人工智能和人类智能的根本区别在哪里？这关系到人工智能是否具有自我意识和思维能力。（3）人工智能的语言和人类的自然语言根本区别在哪里？这关系到人类学习语言和机器学习语言，二者之间的相同点和不同点。

这样有助于把问题导向清晰和简化。人们在第一个问题上可能就看法不同，即对生物和非生物的认识理解不一样。对第一个问题观点相同的人，有可能在第二个问题上产生分歧，即能否把语言知识和思维能力区分开。对前两个问题都意见一致的人，有可能在第三个问题上产生分歧，即怎样认识人工智能产生的语言。

第一个问题比较容易解决。人工智能不会具有生命。当年叫作"人工智能"（Artificial Intelligence，AI），就是采用了一个神奇的名称。其实 AI 的 A（artificial），意义就是"假的"，不是真的。世界由物质、能量和信息构成。生命的本质表现，就是通过生命体自身和外界的信息交换和物质交换，为自身的生存和繁衍提供能量。这种内源性可持续的能量获取和能量消耗相互平衡，生命就可以不断延续。这是生命的核心特征和判定标准，人工智能显然达不到这一点。所谓硅基生命只是一种幻想式的比喻说法，或者就是一种戏称。

第二个问题联系到人工智能和人类智能的根本区别。依据第一个问题的答案，人类智能有生命，人工智能无生命。自主意识的核心特征就是：具有主观能动性。这表现为独立确定目标，主动提出问题，自主进行决策。人工智能不会具备这一点。人工智能可以产出流利通顺的语言，但是流利的语言并不等于自主的思维。语言能力不等于思维能力。人类制造工具，是为了增强人的能力。正如汽车比人跑得快，轮船比人游得远，人工智能在多方面超出人的能力，是正常现象。人工智能具有的全部语言能力和各种其他能力，都是人类智能进行决策、设计、运作的结果。离开人类智能的主宰操控，人工智能将一事无成。

第三个问题是人工智能的语言和人类语言的对比。这直接联系到语言学。上文第四节语言习得讲的，多是二者之间的相同点，即：人类语言是概率系统，儿童习得母语和学生学习外语，都是靠概率匹配；大语言模型同样是依据词语搭配的共现概率进行预测，同样是一种概率匹配。我还发现另一个有趣的类似现象。儿童在一岁半到两岁时，突然会说很多的词语和句子。这就是语言的涌现。大语言模型也会有涌现发生，当训练参数达到 500 亿时，显示出越来越接近人类语言的表现。（冯志伟，张登柯 2024）复杂适应系统的概率积累到相当程度，达到一个奇点，就会产生涌现。

现在就可以讨论人工智能语言跟人类自然语言之间有什么差异了。最大的鸿沟之别就是人工智能没有生命，没有自主意识。前面讲到人类的语言是离不开思维的，而人工智能产生的却是离开思维的语言。很多学者指出过的一些问题都是源于这个基本的不同点。例如，人工智能缺乏情感表达和语用能力，难以理解人类语言中的歧义、反语、双关、幽默等意义，常常会一本正经地胡诌。更重要的是人工智能没有价值观、正义感和道德观，不会判断真假和好坏，诚实和欺骗。（石锋 2023）离开思维的人工智能语言缺失真值判断，当然是不可靠的，必须要经过人类的审查，剔除虚假信息，才能付诸使用。

人类有语言能力和思维能力，人工智能有语言能力，无思维能力。人类的思维能力先于语言能力，强于语言能力，大于语言能力，生成语言能力。因为人类语言能力是思维能力的派生品，所以人类语言中可以反映出部分人类的思维能力的过程和结果。这就是有的人误以为人工智能具有自主意识的原因。

　　人类语言是具身输入的，包括了语言交际的双方背景，说话时的场合情景等信息，所以除了语言内部的联系之外，还获取了语言和外部世界的联系。人工智能数据库只是语言文本的输入，只能获得语言内部的词汇、语句之间的联系，所以，有学者称其为"语能"而非"智能"（李葆嘉 2024），是"言知"而不是"亲知"（陈保亚，陈樾 2024）。这也是不完全模仿人类的意义。当然，人类语言会有生理遗忘、心理偏好等因素，这也是大语言模型所没有的。

　　人们早就注意到，人工智能需要大量数据，十亿、百亿，以至千亿，而儿童习得语言似乎"输入贫乏"。其实量的问题只是表象，质的差别才是根本。儿童具身互动输入的语料是语音＋语义＋语境＋事件＋人物＋场景＋褒贬＋好恶＋色彩＋声音＋气味＋味道＋刚柔……的多通路并行、多模态整合的优质高效数据，而且是在互动反馈中同步优化的渐进式存储，随时做出概率权重，即连接强弱的调整。人工智能输入的大量数据只是基于单通道、单模态文本的混杂低效语料，还必须加上各种训练调整，后补模仿人类的互动。现在新模型可以处理多模态对象，要像人类一样跟语言无缝统合，还有很长的路要走。

　　实际上，3 岁儿童的词汇输入量大约有 1300 万～ 4500 万（Hart & Risley 1995）。如果按照语音＋语义＋语境＋事件＋人物＋场景……等等信息，假设每个词向量有 100 个参数，那么，儿童输入的数据量尽管比不上人工智能，相差也并非想象的那么多。而且儿童的优化语料数据比人工智能的混杂语料数据不知道要强上多少倍！人工智能数据量为什么多多益善呢？因为"沙里淘金"，混杂语料不过都是沙子，经过各种训练调整，优化淘汰之后，才得到"真金"。殊不知，儿童输入的数据本身就已经是"真金"。

　　最后，也是最为重要的根本点：人工智能没有个性。因为大语言模型数据库来自互联网，不可能把每一个提供语料的人都区分出来。所以，人工智能不懂得人际交往的远近亲疏。而人类社会网络中的每个人都是独特的"这一个"，人类语言是有个性的。这是人工智能语言和人类自然语言之间的根本性差别。（石锋 2023）

　　这里顺便提醒大家一个问题：人工智能的深度学习系统可以用于不同语言之间的转译，可以切换到不同语言内部的问答聊天。这些都是基于同样的系统，并没有改换不同的系统。那无数学人梦寐以求的"普遍语法"是不是就已经由人工智能实现了？！

六、结　语

　　最近的网络上又见到人工智能新发展的两个重要信息。一是 OpenAI 公司推出最新推理模型 GPT-o1，采用"思维链"（CoT，chain of thought）训练模式，极大提高了模型的推理能力。据说新模型在多项评测指标上已达"博士级"智能水平。OpenAI 公司首席执行官奥特曼表示，这代表了人工智能领域的新范式：具备通用推理能力的人工智能。一是 ImageNet 创始人李飞飞联合创建空间智能公司（World Labs），把空间智能作为人工智能领域新的研究前沿。她认为，我们正处在一次"寒武纪大爆发"中，现在不只是文本，像素、视频、音频方面都在开始出现可能的人工智能应用和模型。视觉空间智能非常根本，与语言一样根本。再加上每天有无数的人在使用它，其实就是训练它，不断接近人类的偏好。人工智能的未来具有广阔的发展空间。

　　在这种人工智能快速发展的大势所趋之下，语言学向何处去？语言教学和语言研究向何处去？确实值得每一位语言学人认真思考。"ChatGPT 对我们既是挑战，也是机遇。"（沈家煊 2023）"这对于解释第一语言习得的奥秘会有新思路，对于第二语言教学会有新启发。"（李宇明 2023）"这是中国语言学唯一一次超越或者引领世界语言学的机会。"（刘海涛，郑国锋 2021；刘海涛 2024）"不要问时代和社会真的会不会抛弃语言学，而要问语言学真的能为时代和社会做些什么！"（袁毓林 2024）以上几位语言学家的意见，值得重视。

人工智能的挑战对于语言学来说，确实是个极好的转向科学化道路的机遇。我在今年第 15 届演化语言学国际研讨会的主旨报告中，讲到"殊途同归"："如果不同学者的人方向一致，不同的理论和方法最终总会殊途同归，彼此相容。"（石锋 2024）不同的理论和方法，应该没有根本分歧，可以统合在一起，浑然一体，形成一个更具普遍性的综合性理论体系和方法范式。语言学的科学化应该是我们共同的努力方向。赵元任的"多能性"精神提倡包容开放，想来也是在寄希望于未来的殊途同归吧。

世界进入了人工智能的时代。每个人的工作与生活都将会受到影响而发生不同程度的改变。首先要全面革新旧有的观念，正确理解认识和学会使用人工智能，学会在人工智能的帮助下进行语言教学和语言研究。同时要保持清醒的头脑和冷静的思考，对人工智能要有客观的评估，过低和过高都不利于对它的理解和使用。要记住对人工智能的答案结果必须认真检查，注意其中的胡诌成分。人工智能的本质就是人类制造出来由人来操控的工具，不管它现在或将来会有多大的功能，这个本质属性是不会改变的。我们将会像使用电脑和手机一样，学会驾驭人工智能，适应这个有了人工智能的世界，去创造更加美好的未来。

参考文献

陈保亚，陈　樾　2024　《人类语言习得的亲知还原模式——从 ChatGPT 的言知还原模式说起》，《北京大学学报（哲学社会科学版）》第 2 期。

陈国华　2024　《杰弗里·辛顿接受尤利西斯奖章时发表的获奖感言》，《当代语言学》第 4 期。

冯志伟，张登柯　2024　《ChatGPT 与语言研究》，载杨旭，罗仁地《ChatGPT 来了》，上海：上海教育出版社。

李葆嘉　2024　《辛顿如斯说：神经网络语模吸收了语义学理论》，"实验语言学 +"云上论坛报告（10 月 15 日）。

李宇明　2023　《"人机共生"的时代》，《语言战略研究》第 4 期。

刘海涛　2024　《从语言数据到语言智能：数智时代对语言研究者的挑战》，《中国外语》第 5 期。

刘海涛，郑国锋　2021　《大数据时代语言学理论研究的路径与意义》，《当代外语研究》第 2 期。

陆俭明　2024　《语义制约语法刍议》，《河北大学学报（哲学社会科学版）》第 2 期。

罗曼·雅柯布森　1942/2001　《雅柯布森文集》，钱军，王力，译注，长沙：湖南教育出版社。

吕叔湘，朱德熙　1952　《语法修辞讲话》，北京：开明书店。

沈家煊　1999　《不对称和标记论》，南昌：江西教育出版社。

沈家煊　2020　《汉语大语法五论》，上海：学林出版社。

沈家煊　2023　《ChatGPT，赵元任，新文科——一个语言学家的思考》，《中国语言战略》第 1 期。

石　锋　2013　《音义结合是任意的吗？——重读雅可布森评索绪尔之一》，载石锋，彭刚《大江东去：王士元80 岁庆寿文集》，香港：香港城市大学出版社。收入石锋《秋叶集》，天津：南开大学出版社。

石　锋　2023　《语言之谜：来自人工智能的挑战》，《实验语言学》第 2 号。

石　锋　2024　《拉波夫之问：音在变，还是词在变？》，《实验语言学》第 4 号。

石　锋，王　萍　2004　《天津话声调的新变化》，载石锋，沈钟伟《乐在其中：王士元教授七十华诞庆祝文集》，天津：南开大学出版社。

索绪尔　1980　《普通语言学教程》，高名凯，译，北京：商务印书馆。

王士元　2024　《第 15 届演化语言学国际研讨会开幕式致辞》，《实验语言学》第 4 号。

袁毓林　2024　《如何测试 ChatGPT 的语义理解与常识推理水平？——兼谈大语言模型时代语言学的挑战与机会》，《语言战略研究》第 1 期。

赵元任　1980　《语言问题》，北京：商务印书馆。

赵元任　1954/2002　《汉语语法与逻辑杂谈》，载赵元任《赵元任语言学论文集》，北京：商务印书馆。

赵元任　1965a/2002　《罗素的抽象原则跟语言教学》，载赵元任《赵元任语言学论文集》，北京：商务印书馆。

赵元任　1965b/2002　《外国语教学的方式》，载赵元任《赵元任语言学论文集》，北京：商务印书馆。

Bolinger, D. 1981. *Aspects of Language*. New York: Harcourt College Publisher.（《语言要略》，方立，等，译，北京：外语教学与研究出版社，1993 年版）

Chomsky, N. 1965. *Aspects of the Theory of Syntax*. Cambridge, MA.: MIT Press.

Fedorenko, E., S. T. Piantadosi & E. A. F. Gibson. 2024. Language is primarily a tool for communication rather than thought. *Nature* 630, 575–586.

Hart, B. & T. R. Risley. 1995. *Meaningful Differences in the Everyday Experience of Young American Children*. Baltimore, MD: Paul H. Brookes Publishing Co.

Jelinek, F. 1988. Applying information theoretic methods: Evaluation of grammar quality. In Workshop on Evaluation of NLP Systems, Wayne, PA.

Jelinek, F. 2005. Some of my best friends are linguists. *Language Resources and Evaluation* 1, 25–34.

Labov, W. 1994. *Principles of Linguistic Change: Internal Factors*. John Wiley and Sons Limited.（《语言变化原理：内部因素》，石锋，郭嘉，译，北京：商务印书馆，2019 年版）

责任编辑：韩　畅

2024 年《语言战略研究》匿名审稿专家名单

（按姓氏音序排列）

常　安	陈小文	方小兵	韩先培	贺宏志
李守奎	李　崺	李现乐	刘海涛	卢德平
马　文	饶高琦	尚国文	史有为	王东杰
王海兰	王继红	阎　喜	杨尔弘	尤陈俊
张　翔	赵守辉	周明朗	周　鹏	朱　剑

　　2024 年《语言战略研究》得到了各位专家的鼎力支持，本刊编委会和编辑部向各位致以诚挚的谢意。恳请各位专家继续严把审稿质量关，帮助刊物不断成长！